중학 영어

문장 해석 연습 ②

이룸이앤비
Education & Books

구성과 특징

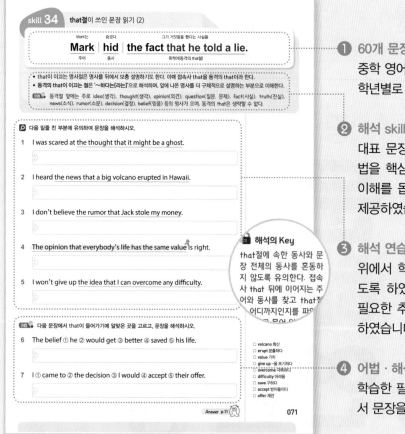

① **60개 문장 패턴**

중학 영어 교과서에 나오는 주요 문장 패턴을 학년별로 60개씩 정리하여 제시하였습니다.

② **해석 skill 설명**

대표 문장을 앞세워, 문장 구조에 따른 해석법을 핵심만 간략하게 설명하였습니다. 문장 이해를 돕는 필수 어법에 대한 설명도 함께 제공하였습니다.

③ **해석 연습 문제**

위에서 학습한 문장 해석법을 적용할 수 있도록 하였습니다. 보다 정확한 문장 해석에 필요한 추가 설명은 〈해석의 Key〉에서 제시하였습니다.

④ **어법 · 해석 연습 문제**

학습한 필수 어법에 대한 이해도를 점검하면서 문장을 해석하는 문제로 구성하였습니다.

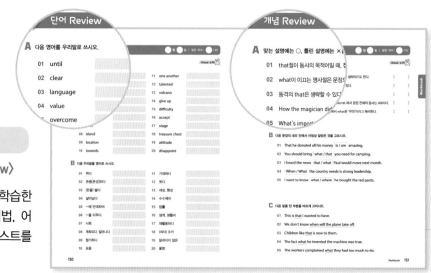

WORKBOOK

〈단어 & 개념 Review〉

각 단원별로 본문에서 학습한 단어와 구문 지식, 해석법, 어법을 복습할 수 있는 테스트를 제공하였습니다.

STRUCTURE

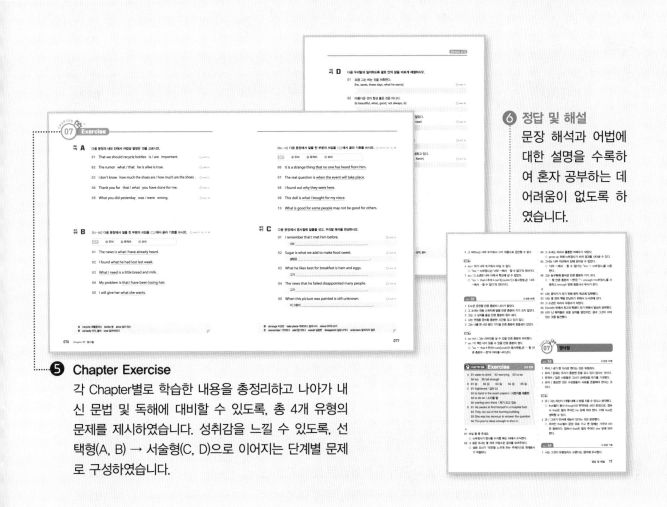

❻ 정답 및 해설
문장 해석과 어법에 대한 설명을 수록하여 혼자 공부하는 데 어려움이 없도록 하였습니다.

❺ Chapter Exercise
각 Chapter별로 학습한 내용을 총정리하고 나아가 내신 문법 및 독해에 대비할 수 있도록, 총 4개 유형의 문제를 제시하였습니다. 성취감을 느낄 수 있도록, 선택형(A, B) → 서술형(C, D)으로 이어지는 단계별 문제로 구성하였습니다.

WORKBOOK

〈해석 Practice〉

한 단원 내에서 연관성 높은 skill을 서로 묶어 해석 연습 문제를 제공하였습니다. 본문의 문장과 유사한 문장으로 구성하여, 본문에서 학습한 내용을 완벽히 자신의 것으로 만들기 위한 보충 학습 자료로 활용할 수 있도록 하였습니다.

차례

CONTENTS

차례

CONTENTS

[책 속의 책] 정답 및 해설

S	주어(Subject)	M	수식어(Modifier)
V	동사(Verb)	( )	생략할 수 있는 어구
O	목적어(Object)	to-v	to부정사
IO	간접목적어(Indirect Object)	v-ing	동명사 또는 현재분사
DO	직접목적어(Direct Object)	v-ed, p.p.	과거분사
C	보어(Complement)	I	의미 단위별 끊어 읽기
SC	주격 보어(Subjective Complement)		
OC	목적격 보어(Objective Complement)		

일러두기

문장 해석 연습 **학습 로드맵**

Workbook에 추가로 제공된 해석 연습 문제를 풀며, **본문의 내용을 반복 학습**하여 취약한 부분을 보충할 수 있도록 합니다.

WORKBOOK
해석 Practice

본 문
해석 skill 학습

60개 문장 패턴의 해석법과 관련 어법을 공부합니다. 1개의 대표 문장과 4~5개의 연습 문장을 통해 해석법을 확실히 익힌 후, 해설을 통해 정답과 오답을 반드시 확인하고 정리하도록 합니다.

START!
INTRO
필수 기본 지식

본문 학습을 시작하기 전, 학습 내용을 이해하는 데 필요한 가장 **기본적인 개념**을 익히도록 합니다.

충분한 해석 연습을 한 후, 20~25개의 Exercise 문제를 통해 **학습한 내용을 종합적으로 테스트**해보도록 합니다. 틀린 문제의 경우, 문제 옆에 표시되어 있는 연계 skill을 다시 학습하도록 합니다.

CHAPTER EXERCISE

ROAD MAP

Study Plan에 따른 〈학습 로드맵〉입니다.
효과적인 학습을 위해 Study Plan에 따라 학습을 진행하길 권장합니다.

WORKBOOK 개념 Review

단어 학습을 끝낸 후, 개념 Review 문제를 풀며 해당 Chapter에서 학습한 **구문 지식, 해석법, 어법을 다시 점검**해보도록 합니다.

WORKBOOK 단어 Review

Chapter 학습을 끝낸 후, 본문과 Exercise 하단에 있는 **주요 단어를 복습**한 후 테스트해보도록 합니다.

부가 서비스 (홈페이지)

이룸이앤비 홈페이지(http://ms.erumenb.com)에서 〈단어 테스트지〉와 〈본문 해석 연습지〉를 다운받아, 본문의 모든 **주요 단어 및 문장 해석을 마스터**합니다.

STUDY PLAN

학습일	본문	WORKBOOK	학습 날짜
		학습 내용	
Day 01	skill **01~02**	해석 Practice ①	월 일
Day 02	skill **03~04**	해석 Practice ②	월 일
Day 03	skill **05~07**	해석 Practice ③	월 일
Day 04	Exercise	단어 Review, 개념 Review	월 일
Day 05	skill **08~09**	해석 Practice ①	월 일
Day 06	skill **10~11**	해석 Practice ②	월 일
	Exercise	단어 Review, 개념 Review	
Day 07	skill **12~15**	해석 Practice ①	월 일
Day 08	skill **16~18**	해석 Practice ②	월 일
Day 09	Exercise	단어 Review, 개념 Review	월 일
Day 10	skill **19~20**	해석 Practice ①	월 일
Day 11	skill **21~22**	해석 Practice ②	월 일
	Exercise	단어 Review, 개념 Review	
Day 12	skill **23~25**	해석 Practice ①	월 일
Day 13	skill **26~27**	해석 Practice ②	월 일
	Exercise	단어 Review, 개념 Review	
Day 14	skill **28~29**	해석 Practice ①	월 일
Day 15	skill **30~32**	해석 Practice ②	월 일
Day 16	Exercise	단어 Review, 개념 Review	월 일

CHAPTER 01 — Day 01 ~ Day 04
CHAPTER 02 — Day 05 ~ Day 06
CHAPTER 03 — Day 07 ~ Day 09
CHAPTER 04 — Day 10 ~ Day 11
CHAPTER 05 — Day 12 ~ Day 13
CHAPTER 06 — Day 14 ~ Day 16

교과서 주요 문장 패턴 60개를 30일 동안 내 것으로 만들어 보자!
매일매일 풀 양을 정해놓고 일정 시간 동안 꾸준히 풀어본다.

	학습일	본문	WORKBOOK	학습 날짜
		학습 내용		
CHAPTER **07**	Day 17	skill 33~35	해석 Practice ①	_____월 _____일
	Day 18	skill 36~38	해석 Practice ②	_____월 _____일
	Day 19	Exercise	단어 Review, 개념 Review	_____월 _____일
CHAPTER **08**	Day 20	skill 39~40	해석 Practice ①	_____월 _____일
	Day 21	skill 41~43	해석 Practice ②	_____월 _____일
	Day 22	skill 44~45	해석 Practice ③	_____월 _____일
		Exercise	단어 Review, 개념 Review	
CHAPTER **09**	Day 23	skill 46~47	해석 Practice ①	_____월 _____일
	Day 24	skill 48~49	해석 Practice ②	_____월 _____일
	Day 25	skill 50~51	해석 Practice ③	_____월 _____일
	Day 26	skill 52~54	해석 Practice ④	_____월 _____일
	Day 27	Exercise	단어 Review, 개념 Review	_____월 _____일
CHAPTER **10**	Day 28	skill 55~57	해석 Practice ①	_____월 _____일
	Day 29	skill 58~60	해석 Practice ②	_____월 _____일
	Day 30	Exercise	단어 Review, 개념 Review	_____월 _____일

Note

문장 해석 연습을 위한 필수 지식

A 문장 성분

1. 주어 (Subject)

동작이나 상태의 주체가 되는 말로, 주로 문장의 맨 앞에 나오며 '~은/는/이/가'로 해석한다.

- **The hero** in the movie is my favorite actor. (그 영화의 주인공은 내가 가장 좋아하는 배우이다.)
  주어
- **To study English** is my hobby. (영어를 공부하는 것은 나의 취미이다.)
  주어

2. 동사 (Verb)

주어의 동작이나 상태를 나타내는 말로, 보통 주어 다음에 나오며 '~이다/하다'로 해석한다.

- They **are** noisy. (그들은 시끄럽다.)
  동사(be동사)
- They **shook** their hands. (그들은 악수를 했다.)
  동사(일반동사)

3. 보어 (Complement)

동사를 도와 주어나 목적어를 보충 설명해주는 말로, 주어를 보충 설명하는 주격 보어(Subject Complement)와 목적어를 보충 설명하는 목적격 보어(Object Complement)가 있다. 보통 주격 보어는 동사 뒤에, 목적격 보어는 목적어 뒤에 나온다.

- My aunt is **a nurse**. (나의 이모는 간호사이다.)
  주격 보어
- Classical music makes me **calm**. (클래식 음악은 나를 차분하게 해준다.)
  목적격 보어

4. 목적어 (Object)

주어가 하는 동작의 대상이 되는 말이다. 동사 뒤에 나오며, '~을/를'로 해석되는 직접목적어(Direct Object)와 '~에게'로 해석되는 간접목적어(Indirect Object)가 있다.

- Mark reads **a newspaper**. (Mark는 신문을 읽는다.)
  직접목적어
- I gave **my parents carnations**. (나는 부모님께 카네이션을 드렸다.)
  간접목적어   직접목적어

5. 수식어 (Modifier)

다른 말을 꾸며주어 뜻을 더 풍부하게 해주는 말로, 형용사(구)는 명사를 꾸며주고 부사(구)는 동사 · 형용사 · 다른 부사 혹은 문장 전체를 꾸며준다.

- I like **funny** stories **a lot**. (나는 재미있는 이야기를 많이 좋아한다.)
  <u>수식어</u>   <u>수식어</u>

- **Luckily**, I found an **empty** seat **in the back row**. (운 좋게도 나는 비어 있는 자리를 뒷줄에서 발견했다.)
  <u>수식어</u>   <u>수식어</u>   <u>수식어</u>

문장 형식

1. 1형식

S + **V** + (**M**)　　'S가 V하다'
주어　동사　(수식어구)

목적어와 보어가 필요 없는 완전자동사(go, come, walk, run, live, die, sleep, work, start 등)가 쓰인다.

- **The music started**. (음악이 시작되었다.)
  　　주어　　동사

- **My brother sleeps late at night**. (나의 형은 밤에 늦게 잔다.)
  　　주어　　동사　　수식어구

2. 2형식

S + **V** + **SC**　　'S가 SC이다[하다/되다]', 'S가 SC하게 V하다'
주어　동사　주격 보어

주어를 보충 설명하는 주격 보어가 필요한 불완전자동사가 쓰인다.
– 상태동사(be, keep, stay, remain 등), 감각동사(look, smell, taste, sound, feel 등)
– 변화동사(become, get, go, turn 등), 외양동사(seem, appear 등)

- **He is a singer**. (그는 가수이다.)
  주어 동사 주격 보어

- **Jake looks tired**. (Jake는 피곤하게 보인다.)
  　주어　　동사 주격 보어

- **The girl's face turned red**. (그 소녀의 얼굴은 빨갛게 변했다.)
  　　주어　　　　동사 주격 보어

3. 3형식

S + **V** + **O**　　'S가 O를 V하다'
주어　동사　목적어

목적어가 필요한 완전타동사(like, love, need, wear, want, buy, make 등)가 쓰인다.

- **She needs a rest**. (그녀는 휴식을 필요로 한다.)
  　주어　동사　　목적어

4. 4형식

`S` + `V` + `IO` + `DO` 　'S가 IO에게 DO를 V하다'
주어　동사　간접목적어 직접목적어

간접목적어(~에게)와 직접목적어(~을/를)가 필요한 수여동사(give, send, teach, buy, make, ask 등)가 쓰인다.

- **Ms. Smith gives us a lot of homework**. (Smith 선생님은 우리에게 많은 숙제를 내주신다.)
　 주어　　　동사 간접목적어　직접목적어

5. 5형식

`S` + `V` + `O` + `OC` 　'S가 O를 OC로[라고] V하다', 'S가 O를 OC하게[하도록] V하다'
주어　동사　목적어　목적격 보어

목적어와 그것을 보충 설명하는 목적격 보어가 필요한 불완전타동사(call, find, keep, ask, allow, get, hear, watch, make, have, let 등)가 쓰인다.

- **We called the cat Luna**. (우리는 그 고양이를 Luna라고 불렀다.)
　 주어　동사　목적어　목적격 보어

C 구와 절

1. 구

두 개 이상의 단어가 모여 하나의 품사 역할을 하는 덩어리로, 그 역할에 따라 명사구, 형용사구, 부사구로 나뉜다.

- **Making a decision** is hard. (결정을 하는 것은 어렵다.)
　 명사구
- Tomorrow is a good time **to talk about this matter**. (내일은 이 문제에 관해 이야기하기 좋은 때이다.)
　　　　　　　　　　　　　　 형용사구
- It happened **this morning in the parking lot**. (그 일은 오늘 아침에 주차장에서 일어났다.)
　　　　　　　 부사구　　　　 부사구

2. 절

- 구와 마찬가지로 여러 단어가 모여 하나의 품사 역할을 하지만, 그 자체에 「주어＋동사」가 포함되어 있는 덩어리이다. 그 역할에 따라 명사절, 형용사절, 부사절로 나뉜다.
- 주절은 문장의 주인이 되는 절로서 단독으로 쓰일 수 있는 반면, 종속절은 주절에 붙어 있는 절로서 단독으로 쓰지 못한다. 종속절은 문장 내에서 명사절, 형용사절, 부사절의 기능을 한다.

- **This is what I want to say**. (이것이 내가 말하고 싶은 것이다.)
　 주절　　 종속절(명사절)
- **There are some birds which can't fly at all**. (전혀 날 수 없는 일부 새들이 있다.)
　　　 주절　　　　　 종속절(형용사절)
- **While I was jogging, I fell down**. (나는 조깅을 하다가 넘어졌다.)
　 종속절(부사절)　　　 주절

D 끊어 읽기의 기본

의미상 밀접한 단어들끼리 묶은 것을 의미 단위라 한다. 문장을 의미 단위별로 묶어서 끊어 읽으면, 복잡한 문장 구조도 쉽게 파악할 수 있고 해석을 정확하고 빠르게 할 수 있다.

1. 주어가 두 단어 이상이면 동사 앞에서 끊어라

- The most important thing / is your health. (가장 중요한 것은 / 여러분의 건강이다)
- The man with sunglasses / is my new P.E. teacher. (선글라스를 낀 남자는 / 나의 새 체육 선생님이시다)

2. 구나 절 형태의 긴 목적어나 보어 앞에서 끊어라

- I want / to travel around the world. (나는 원한다 / 세계 곳곳을 여행하기를)
- Did you know / that Jane broke up with her boyfriend? (너는 알고 있었니 / Jane이 남자친구와 헤어진 것을)

3. 진주어 또는 진목적어 앞에서 끊어라

- It is not easy / to find water in the desert. (쉽지 않다 / 사막에서 물을 찾는 것은)
- I make it a rule / to go to bed at 11 o'clock. (나는 규칙으로 하고 있다 / 11시에 자는 것을)

4. 콤마(,)가 있는 부분에서 끊어라

- If you want, / you can look around. (당신이 원한다면 / 둘러보아도 좋습니다)
- Unfortunately, / I couldn't find my backpack. (불행히도 / 나는 배낭을 찾을 수 없었다)

5. 접속사 앞에서 끊어라

- Please look after my baby / while I'm away. (제 아이 좀 돌봐주세요 / 제가 없는 동안에)
- Her father passed away / when she was six years old. (그녀의 아버지는 돌아가셨다 / 그녀가 여섯 살 때)

6. 관계사 앞에서 끊어라

- I'm looking for someone / who can take care of my dog. (나는 누군가를 찾고 있다 / 내 개를 돌봐줄 수 있는)
- The year 2002 was the year / when the World Cup was held in Korea.
  (2002년은 해였다 / 한국에서 월드컵이 열린)

7. 전치사구나 부사구 앞에서 끊어라

- I worked there / for about two years. (나는 그곳에서 일했다 / 약 2년간)
- I was born / in Seoul / in 1988. (나는 태어났다 / 서울에서 / 1988년에)

숨마 주니어® 중학 영어 문장 해석 연습 ❷

주어
문장의 구성 요소 ①

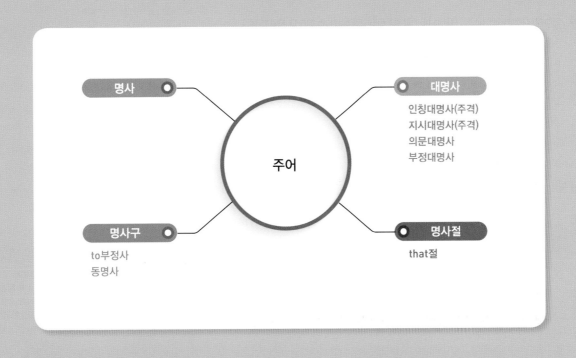

부정대명사가 주어인 문장 읽기

| 하나는 | 나의 것이다 | 그리고 | 다른 하나는 | 내 남동생의 것이다 |

One | **is mine,** | **and** | **the other** | **is my brother's.**
주어(부정대명사)   주어(부정대명사)

- one ~ the other …: '하나는 ~ (나머지) 다른 하나는 …' / 사람이나 물건이 둘일 때 사용
- some ~ others …: '어떤 사람[것]들은 ~ 다른 사람[것]들은 …' / 사람이나 물건이 여럿일 때 사용
- the others: '(나머지) 다른 사람[것]들은' / 사람이나 물건이 여럿인 경우, 일부를 뺀 나머지를 가리킬 때 사용

어법 one과 the other 뒤에는 각각 단수 동사가, some과 (the) others 뒤에는 각각 복수 동사가 온다.

🔍 다음 밑줄 친 부분에 유의하여 문장을 해석하시오.

1 <u>Some</u> want milk, and <u>others</u> want juice.

⇨

2 She has two brothers. <u>One</u> is Tom, and <u>the other</u> is Jerome.

⇨

🔒 **해석의 Key**
other(s) 앞의 the는 '나머지'라고 해석한다.

3 There are many roses in the garden. <u>One</u> is pink, and <u>the others</u> are red.

⇨

4 <u>Some</u> like jazz music, and <u>others</u> like pop music.

⇨

5 We have fifty balls. <u>Some</u> are black, and <u>the others</u> are blue.

⇨

어법 다음 괄호 안에서 알맞은 말을 고르고, 문장을 해석하시오.

6 Teddy has two shirts. One is striped, and the other [is / are] plain.

⇨

7 Jenny keeps puppies. Some are black, and the others [is / are] white.

⇨

□ garden 정원
□ jazz music 재즈 음악
□ pop music 대중 음악
□ striped 줄무늬의
□ plain 무늬가 없는
□ puppy 강아지

Answer p.2

명사구가 주어인 문장 읽기 (1)

내 친구들 중 몇몇은 　　　　　　　　　　　　　 만화책을 모은다
Some of my friends │ collect comic books.
　　　　　주어　　　　　　　　　　　　　　　　 동사

- 주어 자리에 〈전체 또는 부분을 나타내는 말＋of＋복수 명사〉가 오면 다음과 같이 해석한다.

all of＋복수 명사	'～의 전부는[모두가]'	most of＋복수 명사	'～의 대부분은'
some of＋복수 명사	'～중 일부는[몇몇은]'	one of＋복수 명사	'～중 하나는'

어법 • one of 복수 명사＋단수 동사
　　　 • all/most/some of 복수 명사＋복수 동사

🔍 다음 문장에서 주어에 밑줄을 긋고, 문장을 해석하시오.

1 Some of the books are almost new.

2 All of the children went on a camping trip.

3 One of my cousins is a famous idol star.

4 Most of the wine is still in the bottle.

🔑 **해석의 Key**
all/most/some of 셀 수
없는 명사＋단수 동사

어법 다음 괄호 안에서 알맞은 말을 고르고, 문장을 해석하시오.

5 One of the cars [go / goes] faster than the others.

6 All of the apples [is / are] bruised.

☐ **almost** 거의
☐ **camping trip** 캠핑 여행
☐ **cousin** 사촌
☐ **famous** 유명한
☐ **bottle** 병
☐ **bruised** 멍든

Answer p.2

새로운 언어를 배우는 것은   어렵다

To learn a new language | is difficult.
주어(to부정사구)   동사

- 주어 자리에 온 to부정사(구)나 동명사(구)는 '~하는 것은', '~하기는'이라고 해석한다.

어법 주어로 쓰인 to부정사(구)나 동명사(구)는 단수 취급하여 뒤에 단수 동사가 온다.

🔍 다음 문장에서 주어에 밑줄을 긋고, 문장을 해석하시오.

1   To practice hard improves your skill.

> ⤷

🔒 **해석의 Key**

to부정사나 동명사로 시작하는 문장을 해석할 때는 우선 동사를 찾아내어, 그 앞까지를 주어로 해석한다.

2   Drinking enough water is good for your health.

> ⤷

3   Running is one of my favorite activities.

> ⤷

4   To fix my bike by myself is not easy.

> ⤷

5   Traveling abroad gives us a lot of pleasure.

> ⤷

어법 다음 괄호 안에서 알맞은 말을 고르고, 문장을 해석하시오.

6   Jogging regularly every morning [is / are] good.

> ⤷

7   To play baseball with friends [is / are] fun.

> ⤷

□ **practice** 연습하다
□ **improve** 향상시키다
□ **activity** 활동
□ **fix** 고치다, 수리하다
□ **by oneself** 혼자
□ **abroad** 해외로
□ **pleasure** 기쁨
□ **regularly** 규칙적으로

that절이 주어인 문장 읽기

우리가 신선한 음식을 먹는다는 것은   중요하다

That we eat fresh food | is important.
<u>주어(that절)</u>   <u>동사</u>

- 접속사 that이 이끄는 절은 「**that＋주어＋동사～**」의 형태로, 주어 자리에 올 수 있다. 이때 that절은 '**～하다는[라는] 것은**'으로 해석한다.

어법 주어로 쓰인 that절은 단수 취급하여 뒤에 단수 동사가 온다.

🔍 다음 문장에서 주어와 동사 사이에 / 표시하고, 문장을 해석하시오.

1   That he told a lie to me was shocking.

     ⤷

2   That the earth is round is true.

     ⤷

3   That Maria is a great singer is well known.

     ⤷

4   That my mom didn't scold me surprised me.

     ⤷

5   That there is a lot of gold on the island is a rumor.

     ⤷

🔑 **해석의 Key**

that절이 주어일 때, 접속사 That 뒤에는 보통 2개의 동사가 나온다. 이때 두 번째로 오는 동사가 전체 문장의 동사가 된다.

어법 다음 괄호 안에서 알맞은 말을 고르고, 문장을 해석하시오.

6   That caffeine can affect your sleep [are / is] clear.

     ⤷

7   That he will come to the event tonight [are / is] certain.

     ⤷

□ **well known** 잘 알려진
□ **scold** 꾸짖다
□ **island** 섬
□ **rumor** (근거 없는) 소문
□ **caffeine** 카페인
□ **affect** 영향을 미치다
□ **clear** 분명한
□ **certain** 확실한

Answer p.2

skill 05 「It ~ to부정사」 문장 읽기

흥미롭다   이탈리아 요리를 배우는 것은

It is interesting │ **to learn Italian cooking.**

가주어   진주어(to부정사구)

- 주어 자리에 It이 있고 뒤에 to부정사구가 나오면, to부정사구를 주어로 해석한다. 이때 It은 따로 해석하지 않는다.

어법 to부정사구가 주어일 때, 흔히 가주어 It을 주어 자리에 쓰고 진주어인 to부정사구는 문장 뒤에 쓴다.

🔍 다음 밑줄 친 부분에 유의하여 문장을 해석하시오.

1 It is impossible to finish the work in time.

⇨

2 It is my duty to bring her home.

⇨

3 It is dangerous to drive so fast in the dark.

⇨

4 It is important to keep the rules in school.

⇨

5 It is exciting to see a baseball game at the ballpark.

⇨

어법 다음 괄호 안에서 알맞은 말을 고르고, 문장을 해석하시오.

6 [It / That] is not easy to learn how to ski.

⇨

7 It was not difficult [read / to read] *Harry Potter* in English.

⇨

- ☐ **impossible** 불가능한
- ☐ **finish** 끝내다
- ☐ **duty** 의무
- ☐ **bring** 데려오다, 가져오다
- ☐ **dangerous** 위험한
- ☐ **keep the rule** 규칙을 지키다
- ☐ **exciting** 신나는
- ☐ **ballpark** 야구장
- ☐ **how to** ~하는 법

Answer p.2

「for+목적어+to부정사」 문장 읽기

어렵다   내가   일찍 일어나는 것은

It is difficult | for me | to get up early.

가주어   의미상 주어   진주어(to부정사구)

- 「It ~ to부정사」 문장에서 to부정사구 앞에 〈for+명사(목적격)〉가 오기도 한다. 이때 〈for+명사〉는 to부정사구의 의미상 주어로 해석한다.

  어법 사람의 성격·태도를 나타내는 형용사(kind, nice, careful, careless, polite, rude, smart, wise, foolish, stupid, silly 등) 다음에 나오는 to부정사의 의미상 주어는 〈of+명사〉로 나타낸다.

🔍 다음 문장에서 to부정사구의 의미상 주어에 밑줄을 긋고, 문장을 해석하시오.

1 It is necessary for you to bring an umbrella.

2 It was impossible for us to win the basketball game.

3 It was rude of him to say so.

4 It is hard for young people to get jobs these days.

5 It was kind of Jake to send me a thank-you letter.

🔒 **해석의 Key**
It ~ of A to부정사: (to부정사)하다니 A는 ~하다

어법 다음 괄호 안에서 알맞은 말을 고르고, 문장을 해석하시오.

6 It was difficult [for / of] her to make the baby smile.

7 It was careless [for / of] you to lose your car key.

- □ rude 무례한
- □ necessary 필요한
- □ these days 요즘
- □ make A smile A를 미소 짓게 하다
- □ careless 부주의한
- □ lose 잃어버리다

행운이었다   내가 그 영화배우를 우연히 만났던 것은

It was lucky | that I met the movie star by chance.
가주어   진주어(that절)

- 주어 자리에 It이 있고 문장 뒷부분에 that절이 나오면, that절을 주어로 해석한다. 이때 It은 따로 해석하지 않는다.

어법 that절이 주어일 때, 흔히 가주어 It을 주어 자리에 쓰고 진주어인 that절은 문장 뒤에 쓴다.

🔍 다음 밑줄 친 부분에 유의하여 문장을 해석하시오.

1 It is important that drivers obey traffic signals.

⇨

2 It is a good idea that we take a walk after lunch.

⇨

3 It is true that one choice can change your whole life.

⇨

4 It was surprising that he won the gold medal in the Olympics.

⇨

5 It is amazing that she can speak three languages.

⇨

어법 다음 괄호 안에서 알맞은 말을 고르고, 문장을 해석하시오.

6 It is uncertain [what / that] he will come to the party.

⇨

7 [It / This] is strange that he runs around here at night.

⇨

□ **obey** (법 등을) 지키다
□ **traffic signal** 교통 신호
□ **choice** 선택
□ **whole** 전체의
□ **amazing** 놀라운
□ **language** 언어
□ **uncertain** 불확실한
□ **strange** 이상한

Answer p.3

네모
어법 **A** 다음 문장의 네모 안에서 어법상 알맞은 것을 고르시오.

01 It / That is difficult to climb the mountain top. ↻ skill 05

02 All of the furniture in her room are / is old. ↻ skill 02

03 That IQs can change over time is / are true. ↻ skill 04

04 It was very nice for / of her to show me the way. ↻ skill 06

05 There are thirty students in my class. Twelve of them are girls ↻ skill 01

and others / the others are boys.

보기
선택 **B** 다음 문장에서 밑줄 친 부분의 쓰임을 보기 에서 골라 기호를 쓰시오. ↻ skill 03, 04, 06, 07

| 보기 | ⓐ 주어 | ⓑ 의미상 주어 | ⓒ 가주어 |

01 <u>That we go ahead</u> is important.

02 It is dangerous <u>for you</u> to swim in the ocean.

03 <u>It</u> is true that she stole my diamond ring.

04 It was careless <u>of him</u> to open the front door.

05 <u>To take a short nap</u> can help your concentration.

A climb 오르다 furniture 가구 over time 시간이 흐르면
B ahead 앞으로 ocean 바다 steal 훔치다 front door 현관 take a nap 낮잠을 자다 concentration 집중

C 다음 문장에서 주어에 밑줄을 긋고, 우리말 해석을 완성하시오.

01 To travel all around the world is my dream. ↻ skill 03

전 세계를 _____.

02 It is my opinion that people should wait in line for their turn. ↻ skill 07

사람들이 _____.

03 It isn't easy for her to prepare the breakfast. ↻ skill 06

_____ 쉽지 않다.

04 Most of the girls want to wear a special dress to the party. ↻ skill 02

_____ 입고 가기를 원한다.

D 다음 우리말과 일치하도록 괄호 안의 말을 바르게 배열하시오.

01 어떤 이들은 고양이를 좋아하고, 다른 이들은 개를 선호한다.
(like, dogs, cats, others, some, and, prefer) ↻ skill 01

02 의사의 충고를 따르는 것이 필요하다.
(is, the doctor's advice, to follow, necessary, it) ↻ skill 05

03 아이들 모두가 놀이공원에 가기를 원했다.
(the children, wanted, to the amusement park, to go, of, all) ↻ skill 02

04 미래를 위해 에너지를 절약하는 것은 쉽지 않다.
(is, easy, saving energy, not, for the future) ↻ skill 03

C all around the world 전 세계   opinion 의견   in line 줄 서서   turn 차례   prepare 준비하다   special 특별한
D prefer 선호하다   advice 충고, 조언   amusement park 놀이공원   save 절약하다

CHAPTER
02

목적어
문장의 구성 요소 ②

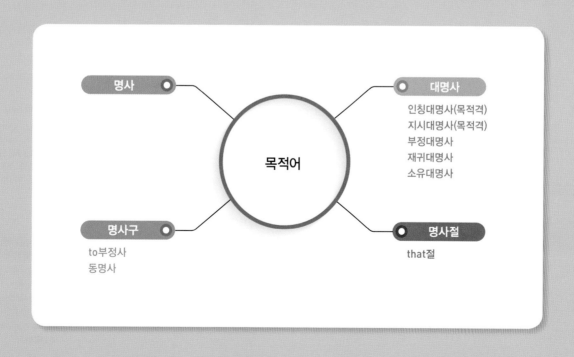

명사구가 목적어인 문장 읽기 (1)

Tony는	결심했다	사실을 말하기로
Tony	**decided**	**to tell the truth.**
주어	동사	목적어(to부정사구)

• 목적어 자리에 온 to부정사(구)나 동명사(구)는 '~하는 것을', '~하기를'이라고 해석한다.
  Steve finished **doing his homework**. (Steve는 숙제를 하는 것을 끝마쳤다.)

어법   to부정사만을 목적어로 쓰는 동사: want, hope, need, expect, plan, choose, decide, agree 등
동명사만을 목적어로 쓰는 동사: enjoy, avoid, mind, finish, give up, practice 등
to부정사와 동명사 둘 다 목적어로 쓰는 동사: begin, start, like, love, hate, continue 등

🔍 다음 밑줄 친 부분에 유의하여 문장을 해석하시오.

1 She wanted to travel to Spain in autumn.

  ↪

2 The cat gave up chasing the mouse.

  ↪

3 They agreed to meet at a restaurant in Jongro.

  ↪

4 We should avoid staying outside when the air is not clean.

  ↪

5 It began to rain heavily a few hours ago.

  ↪

어법   다음 괄호 안에서 알맞은 말을 고르고, 문장을 해석하시오.

6 My brother planned [to buy / buying] a new laptop computer.

  ↪

7 Tom and Jerry enjoyed [to play / playing] chess together.

  ↪

🔒 해석의 Key

동사 begin, start, like, love, hate, continue는 목적어로 to부정사와 동명사 둘 다 쓰며, 무엇이 목적어로 쓰이든 의미는 같다.

☐ **give up** 포기하다
☐ **chase** 쫓다
☐ **agree** 동의하다
☐ **avoid** 피하다
☐ **heavily** 세차게, 심하게
☐ **plan** 계획하다
☐ **laptop computer** 노트북 컴퓨터

Answer p.3

명사구가 목적어인 문장 읽기 (2)

나는   잊었다   알람시계를 맞추는 것을
I │ forgot │ to set the alarm clock.
주어   동사   목적어(to부정사구)

- 동사 forget, remember, try는 목적어로 to부정사와 동명사 둘 다 쓰지만, 목적어에 따라 의미가 달라진다.

	forget	remember	try
동명사	~한 것을 잊다	~한 것을 기억하다	(한 번) ~해보다
to부정사	~할 것을 잊다	~할 것을 기억하다	~하려고 노력하다

어법 stop + 동명사: '~하는 것을 멈추다' (동명사가 목적어 역할을 함) / stop + to부정사: '~하기 위해 멈추다' (to부정사가 부사적 용법으로 쓰임)

🔍 다음 문장에서 목적어에 밑줄을 긋고, 문장을 해석하시오.

1 I remember seeing you in Paris last year.

↪

2 Jake tried to memorize English words.

↪

3 Kate forgot lending me her umbrella.

↪

4 Remember to buy a ticket for the final game tomorrow.

↪

어법 다음 괄호 안에서 알맞은 말을 고르고, 문장을 해석하시오.

5 Luke dropped his key. He stopped [picking / to pick] it up.

↪

6 She stopped [playing / to play] the violin because of her injury.

↪

🔒 **해석의 Key**
동사 forget이나 remember의 목적어로 쓰인 동명사는 '과거'의 일을, to부정사는 '미래'의 일을 나타낸다.

- ☐ **memorize** 암기하다
- ☐ **lend** 빌려주다
- ☐ **final game** 결승전
- ☐ **drop** 떨어뜨리다
- ☐ **pick up** ~를 줍다
- ☐ **injury** 부상

Answer p.4

skill 10 「의문사＋to부정사」가 목적어인 문장 읽기

나는　　　모르겠다　　　　　　　그 티켓을 어디서 구해야 할지
I | don't know | where to get the ticket.
주어　　　　동사　　　　　　　　　목적어(의문사＋to부정사구)

- 목적어 자리에 온 「의문사＋to부정사」는 다음과 같이 해석한다.

who＋to부정사	누가[누구를/누구에게] ～할지	whom＋to부정사	누구를[누구에게] ～할지
when＋to부정사	언제 ～할지	where＋to부정사	어디서 ～할지
what＋to부정사	무엇을 ～할지	which＋to부정사	어느 것을 ～할지
how＋to부정사	어떻게 ～할지, ～하는 방법		

어법 to부정사 앞에 의문사 why는 올 수 없다.

🔍 다음 밑줄 친 부분에 유의하여 문장을 해석하시오.

1 I don't know <u>what to do first.</u>

↪

2 Please tell me <u>when to get off the bus.</u>

↪

3 We had no idea <u>which way to go.</u> 🔑

↪

4 I can't decide <u>whom to vote for.</u>

↪

> 🔒 **해석의 Key**
> 목적어 자리에 온 「what [which]＋명사＋to부정사」는 '어떤 명사를 ～할지'로 해석한다.

어법 다음 괄호 안에서 알맞은 말을 고르고, 문장을 해석하시오.

5 Mike may know [why / how] to solve the problem.

↪

6 The boss told them [when / why] to start the project.

↪

> ☐ **get off** (차 · 비행기 등)에서 내리다
> ☐ **have no idea** 전혀 모르다
> ☐ **decide** 결정하다
> ☐ **vote for** ~에 투표하다
> ☐ **solve** 해결하다
> ☐ **boss** 상사, 사장
> ☐ **project** 프로젝트, 계획(된 일)

Answer p.4

나는　　생각한다　　　　　　　　　그가 야구 동호회에 곧 가입할 것이라고
I | think | that he will join the baseball club soon.
주어　　동사　　　　　　　　　　　목적어(that절)

• 접속사 that이 이끄는 절은 「that＋주어＋동사～」의 형태로, 목적어 자리에 올 수 있다. 이때 that절은 '～하다고[라고]', '～하다는 것을', '～하기를'로 해석한다.

어법 접속사 that이 이끄는 절이 목적어 자리에 오면, 접속사 that은 생략할 수 있다.

🔍 다음 문장에서 목적어에 밑줄을 긋고, 문장을 해석하시오.

1 We know that whales are mammals.

2 I believe that our team will win the game.

3 Jane hopes her mom will get better soon.

4 Mike said that he would visit my house next week.

5 Mom always tells me that knowledge is power.

어법 다음 문장에서 that이 생략된 부분에 ∨ 표시하고, 문장을 해석하시오.

6 She explained an ambulance would come soon.

7 I understood the debate was about education.

🔒 **해석의 Key**

문장의 「주어＋동사」 뒤에서 다시 「주어＋동사」가 이어진다면, 두 번째 「주어＋동사」 앞에 접속사 that이 생략된 것으로 보고 해석한다.

□ **whale** 고래
□ **mammal** 포유류
□ **believe** 믿다
□ **knowledge** 지식
□ **explain** 설명하다
□ **ambulance** 구급차
□ **debate** 토론
□ **education** 교육

CHAPTER 02 Exercise

A 다음 문장의 네모 안에서 어법상 알맞은 것을 고르시오.

01 Julie enjoys listening / to listen to different kinds of music. ↻ skill 08

02 I forgot bringing / to bring my umbrella, so I got wet. ↻ skill 09

03 We know that / this the earth is round. ↻ skill 11

04 I really don't know who / why to trust any more. ↻ skill 10

05 Teddy decided losing / to lose weight. ↻ skill 08

B [01-05] 다음 빈칸에 알맞은 말을 보기 에서 골라 쓰시오. ↻ skill 08, 09

보기   to win   entering   meeting   to see   to eat

01 I still remember _____ you in Seoul last month.

02 I hope _____ the famous singer.

03 Janet gave up _____ the music contest.

04 Dad expected _____ the prize.

05 Try _____ more vegetables to stay healthy.

A different 다양한, 다른 kind 종류 wet 젖은, 축축한 round 둥근 trust 신뢰하다, 믿다
B famous 유명한 contest 대회 expect 기대하다, 예상하다 prize 상, 상품 stay healthy 건강을 유지하다

[06-10] 다음 빈칸에 알맞은 말을 보기 에서 골라 기호를 쓰시오. skill 10, 11

보기   ⓐ that   ⓑ what   ⓒ when   ⓓ where

06 I want to know _____ to buy the fruit tomorrow.

07 We should choose _____ to do first.

08 Judy said _____ she would take care of my puppies.

09 Lucy believed _____ Jerry would help her in need.

10 Tell me _____ to leave for London.

해석
완성 **C** 다음 문장에서 목적어에 밑줄을 긋고, 우리말 해석을 완성하시오.

01 Please remember to bring your passport. skill 09

_____ 기억하세요.

02 I hope that your son will pass the test. skill 11

나는 _____.

03 Dave stopped playing the flute. skill 09

Dave는 _____.

04 She didn't know which story to believe. skill 10

그녀는 _____.

05 Would you mind turning off the light? skill 08

너는 _____?

B choose 선택하다   take care of ~를 돌보다   in need 곤경에 처한
C passport 여권   flute [악기] 플루트   mind 꺼리다, 신경 쓰다

어순 배열 **D** 다음 우리말과 일치하도록 괄호 안의 말을 바르게 배열하시오.

01 그녀는 지갑을 줍기 위해서 멈추었다.
(stopped, she, her wallet, to pick up) ↻ skill 09

02 나는 시계를 서랍 안에 둔 것을 잊었다.
(forgot, I, putting, in the drawer, my watch) ↻ skill 09

03 Steve는 그 질문에 답하는 것을 계속 피했다.
(answering, continued, to avoid, Steve, that question) ↻ skill 08, 09

04 나는 그녀가 어려움에 처했다는 것을 들었다.
(in trouble, heard, she, that, I, was) ↻ skill 11

05 아이들은 자신들의 블로그를 운영하는 법을 배우기를 원한다.
(children, want to learn, their own blogs, how to run) ↻ skill 08, 10

D **wallet** 지갑 **drawer** 서랍 **watch** 시계 **continue** 계속하다 **in trouble** 어려움에 처한 **run** 운영하다

CHAPTER

03

보어
문장의 구성 요소 ③

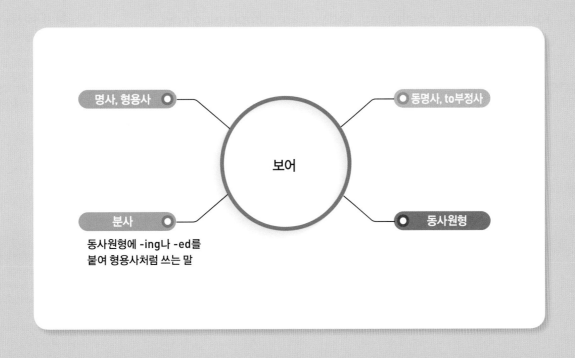

명사, 형용사 ●   ● 동명사, to부정사

보어

분사 ●   ● 동사원형

동사원형에 -ing나 -ed를
붙여 형용사처럼 쓰는 말

성공으로 향하는 첫 번째 단계는   너 자신을 믿는 것이다

The first step to success | is believing in yourself.
주어   동사   주격 보어(동명사)

- 주격 보어란 주어의 속성을 보충 설명해주는 말이다.
- **동명사**가 be동사 뒤에 나와서 **주격 보어**로 쓰이면 '**~하는 것[하기]**'로 해석한다.

> **어법** 동명사의 부정형은 동명사 앞에 not이나 never를 붙이며 '~하지 않는 것'으로 해석한다.
> The most important thing is not giving up.

🔍 다음 문장에서 주격 보어에 밑줄을 긋고, 문장을 해석하시오.

1 Jessica's hobby is collecting pictures of movie stars.

⇨

2 His job is answering phones at a pizza shop.

⇨

3 One of life's pleasures is eating out with family.

⇨

4 Your bad habit is complaining, and you are complaining now.

⇨

5 My favorite thing about parties is meeting new people.

⇨

🔑 **해석의 Key**

「be + v-ing」에서 v-ing는 동명사일 수도 있지만, 동사의 진행형을 만들기 위해 쓰인 현재분사일 수도 있으니 유의한다. 진행형일 때는 '~하는 중이다'로 해석한다.

어법 다음 괄호 안에서 알맞은 말을 고르고, 문장을 해석하시오.

6 My goal is [winning / to winning] the prize money.

⇨

7 His problem is [listening not / not listening] to his parents.

⇨

- □ collect 모으다, 수집하다
- □ pleasure 기쁨
- □ eat out 외식하다
- □ complain 불평하다
- □ goal 목표
- □ win prize money 상금을 타다

Answer p.5

내 삶의 목적은　　　　　　　　　　　　　　　　매 순간을 즐기는 것이다

The purpose of my life | is to enjoy every moment.

　　　　　주어　　　　　　　　　　　동사　　　　주격 보어(to부정사)

- **to부정사**가 be동사 뒤에 나와서 **주격 보어**로 쓰이면 '**~하는 것[하기]**'로 해석한다.

어법　주격 보어로 쓰이는 to부정사는 동명사로 바꿔 쓸 수 있다.

🔍 다음 문장에서 주격 보어에 밑줄을 긋고, 문장을 해석하시오.

1 My dream is to live in a house with a garden.

⇨

2 Her wish for this year is to get married.

⇨

3 Your mission is to break this code within an hour.

⇨

4 Ellie's original plan was to study music at university.

5 His advice for students is to stay positive and to keep trying.

⇨

🔒 **해석의 Key**

두 개의 to부정사구가 등위접속사 and로 연결된 구조이다. 등위접속사로 연결된 항목은 문법적으로 같은 형태가 되어야 하는 것에 유의한다.

어법　다음 괄호 안에서 알맞은 말을 모두 고르고, 문장을 해석하시오.

6 A king's duty is [taking / to take] care of his people.

⇨

7 Our school motto is "to love and [serving / to serve]."

⇨

- ☐ **mission** 임무
- ☐ **break a code** 암호를 해독하다
- ☐ **original** 원래의, 본래의
- ☐ **positive** 긍정적인
- ☐ **keep -ing** 계속해서 -하다
- ☐ **duty** 의무
- ☐ **school motto** 학교 교훈
- ☐ **serve** 봉사하다

Answer p.5

현재분사가 주격 보어인 문장 읽기

해변을 따라 기차를 타는 것은   마음을 매우 느긋하게 해주었다

The train ride along the coastline | was so relaxing.

주어   동사   주격 보어(현재분사)

- 현재분사(v-ing)가 2형식 동사 뒤에 나와서 **주격 보어**로 쓰이면, '**~한[하는]**'으로 해석한다.
  (2형식 동사의 종류: be동사, become, seem, get, look 등)
- **감정을 나타내는 현재분사**가 주격 보어로 쓰이면 '**~한 (감정을 일으키는)**'으로 해석한다.

어법 · 감정을 나타내는 현재분사
interesting(흥미로운), exciting(흥미진진한), pleasing(즐거운), satisfying(만족시키는), relaxing(마음을 느긋하게 해주는), surprising(놀라운), amazing(놀라운), boring(지루한), tiring(피곤하게 하는), disappointing(실망스러운), annoying(짜증나게 하는), embarrassing(당혹스러운)

🔍 다음 문장에서 주격 보어에 밑줄을 긋고, 문장을 해석하시오.

1 The movie seemed boring at first.

2 My yearbook photo is very embarrassing.

3 The driver's loud voice was annoying to the passengers.

🔒 **해석의 Key**
전치사 to는 감정을 나타내는 현재분사와 함께 쓰일 때 '~에게'라고 해석한다.

4 All the board games on the table look exciting.

어법 다음 괄호 안에서 알맞은 말을 고르고, 문장을 해석하시오.

5 A good meal is [pleasing / to please] to everyone.

☐ **seem** ~인[하는] 것처럼 보이다
☐ **at first** 처음에는
☐ **yearbook** 졸업 앨범
☐ **passenger** 승객
☐ **meal** 식사
☐ **final** 마지막의, 최종의
☐ **decision** 결정

6 The final decision was [disappoint / disappointing] to him.

         Answer p.5

과거분사가 주격 보어인 문장 읽기

| 모든 학생들은 | | 들떠 있다 | | 수학여행에 대한 생각으로 |

All the students | **are excited** | **about the school trip.**
주어 | 동사 주격 보어(과거분사)

- 과거분사(p.p.)가 2형식 동사 뒤에 나와서 **주격 보어**로 쓰이면, '~한[하는]'으로 해석한다.
- 감정을 나타내는 과거분사가 주격 보어로 쓰이면 '~한 (감정을 느끼는)'으로 해석한다.

어법 • 감정을 나타내는 과거분사
interested(관심 있어 하는), excited(신이 난, 들뜬), pleased(기쁜), satisfied(만족한), relaxed(마음이 느긋한), surprised(놀란), amazed(놀란), bored(지루한), tired(피곤한), disappointed(실망한), annoyed(짜증난), embarrassed(당황한, 쑥스러워하는)

Q 다음 밑줄 친 부분에 유의하여 문장을 해석하시오.

1 The soldiers became very tired after the march.

2 The audience seemed amazed at the performance.

해석의 Key
at, with 등의 전치사는 감정을 나타내는 형용사 또는 분사와 함께 쓰여 감정의 원인을 나타낸다. '~에'라고 해석한다.

3 Most children got bored with the principal's long speech.

4 Do you feel satisfied with your life?

어법 다음 괄호 안에서 알맞은 말을 고르고, 문장을 해석하시오.

5 She looked [surprising / surprised] at his sudden appearance.

6 How did you get [interesting / interested] in baking?

□ soldier 군인
□ march 행진, 행군
□ audience 관객, 관중
□ performance 공연
□ principal 교장
□ sudden 갑작스러운
□ appearance 등장
□ baking 제빵

to부정사가 목적격 보어인 문장 읽기

우리는 원한다　　　다른 사람들이　　　　우리를 이해하는 것을

We want │ others │ to understand us.
　　　　　　　　　목적어　　　　목적격 보어(to부정사)

- 목적격 보어란 목적어의 속성을 보충 설명해주는 말이다.
- want, tell, allow 등의 5형식 동사는 목적격 보어로 **to부정사**를 쓴다. 이러한 문장은 '주어는 목적어가[목적어에게] **목적격 보어하는 것을[목적격 보어하도록] 동사하다**'로 해석한다.

어법 목적격 보어로 to부정사를 쓰는 동사: want(원하다), tell(말하다), ask(요청[부탁]하다), order(명령하다), allow(허용하다), cause(야기하다), advise(충고하다), warn(경고하다), promise(약속하다), expect(기대[예상]하다) 등

🔍 다음 문장에서 목적격 보어에 밑줄을 긋고, 문장을 해석하시오.

1　John asked his mom to give him a ride to school.

2　Thick makeup can cause your acne to get worse.

3　Do you expect me to believe you?

4　Her parents don't allow her to stay out late.

5　The teacher told me not to be late again.

🔑 **해석의 Key**
to부정사의 부정형은 to부정사의 바로 앞에 not이나 never를 붙이며, '~하지 말라고'로 해석한다.

어법 다음 괄호 안에서 알맞은 말을 고르고, 문장을 해석하시오.

6　The doctor advised him [give up / to give up] smoking.

□ **give ~ a ride** ~를 (차로) 태워주다
□ **makeup** 화장(하기)
□ **acne** 여드름
□ **believe** 믿다
□ **stay out late** 늦게까지 외출하다
□ **give up** 그만두다

7　She warned me [not to drive / to not drive] too fast.

　　　　　　　　　　　　　Answer p.6

동사원형이 목적격 보어인 문장 읽기 (1)

사람들은 지켜보았다	두 지도자들이	악수하는 것을
People watched	**the two leaders**	**shake hands.**
동사(지각동사)	목적어	목적격 보어(동사원형)

- 지각동사는 목적격 보어로 동사원형을 쓴다. 「**지각동사+목적어+동사원형**」은 '…가 ~하는 것을 보다[듣다/느끼다]'로 해석한다.

  어법 지각동사: see(보다), watch(보다), look at(보다), hear(듣다), listen to(듣다), smell(냄새를 맡다), feel(느끼다), notice(알아차리다) 등

🔍 다음 문장에서 목적격 보어에 밑줄을 긋고, 문장을 해석하시오.

1 I heard my phone ring in my bag.

2 They listened to their baby's heart beat.

3 Did you feel the ground shake?

4 She didn't notice him stare at her for a long time.

5 He saw a cat dozing off on the couch.

어법 다음 괄호 안에서 알맞은 말을 고르고, 문장을 해석하시오.

6 She smelled something [burn / to burn] in the kitchen.

7 Look at those baby pandas [eating / eaten] bamboo!

🔒 **해석의 Key**

진행의 의미를 강조할 때는 지각동사의 목적격 보어로 현재분사(v-ing)도 올 수 있다. 이때 해석은 '주어는 목적어가 목적격 보어하고 있는 것을 동사하다'라고 한다.

- ☐ **beat** (심장이) 뛰다
- ☐ **ground** 땅바닥, 지면
- ☐ **stare at** ~를 (빤히) 쳐다보다
- ☐ **for a long time** 오랫동안
- ☐ **doze off** 졸다
- ☐ **couch** 소파
- ☐ **bamboo** 대나무

Answer p.6

동사원형이 목적격 보어인 문장 읽기 (2)

웃음은 만들 수 있다   당신이   더 기분 좋게 느끼도록
Laughter can make | you | feel better.
동사(사역동사)   목적어   목적격 보어(동사원형)

- 사역동사 make, have, let은 목적격 보어로 동사원형을 쓴다. 「make[have/let]+목적어+동사원형」은 '…에게 ~하도록 만들다[시키다/해주다]'로 해석한다.

어법 make: (강제로) ~하게 만들다 / have: ~하게 하다 / let: ~하도록 (허락)해주다

🔍 다음 문장에서 목적격 보어에 밑줄을 긋고, 문장을 해석하시오.

1 Fred let me ride his bike.

⇨

2 I'll have her call you back.

⇨

3 The teacher made all the students rewrite their papers.

⇨

4 His mom didn't let him go to the ski camp.

⇨

5 Bob helped me change the tire on the car.

⇨

어법 다음 괄호 안에서 알맞은 말을 모두 고르고, 문장을 해석하시오.

6 He had his secretary [fax / to fax] the information.

⇨

7 Can you help me [look / to look] for my key?

⇨

🔒 **해석의 Key**

help는 준사역동사로 to부정사와 동사원형을 모두 목적격 보어로 취한다. 「help+목적어+(to)+동사원형」은 '…가 ~하도록 돕다'로 해석한다.

☐ **call back** (전화를 해 왔던 사람에게) 다시 전화를 하다
☐ **rewrite** 다시[고쳐] 쓰다
☐ **paper** 과제물[리포트]
☐ **secretary** 비서
☐ **fax** 팩스로 보내다

    Answer p.6

A 다음 문장의 네모 안에서 어법상 알맞은 것을 고르시오.

01 His lesson was so boring / bored . ↻ skill 14

02 I heard someone call / to call my name. ↻ skill 17

03 Ms. Miller told the students line up / to line up . ↻ skill 16

04 I was surprising / surprised by the long line of shoppers. ↻ skill 15

05 Oops! I let the chicken burn / burning in the oven. ↻ skill 18

B 다음 문장에서 밑줄 친 부분의 쓰임을 보기 에서 골라 기호를 쓰시오. ↻ skill 12, 13, 14, 16, 17

보기 ⓐ 주격 보어 ⓑ 목적격 보어

01 This advertisement is so annoying.

02 Drunk driving can cause you to lose your driver's license.

03 My favorite activity is playing basketball.

04 I saw my dad wash his car in the garage.

05 The important thing is to respect each other's opinions.

A lesson 수업 line up 줄을 서다 burn (불에) 타다
B advertisement 광고 drunk driving 음주운전 driver's license 운전면허증 activity 활동 garage 차고
respect 존중하다 opinion 의견

해석 완성 C 다음 문장에서 보어에 밑줄을 긋고, 우리말 해석을 완성하시오.

01 I am really worried about my future. ↻ skill 15

나는 _____.

02 He asked everyone to turn off their cell phones. ↻ skill 16

그는 _____ 요청했다.

03 Most British schools have their students wear a school uniform. ↻ skill 18

대부분의 영국 학교는 _____.

04 A webmaster's main job is to design web pages. ↻ skill 13

웹 마스터의 주요 업무는 _____.

어순 배열 D 다음 우리말과 일치하도록 괄호 안의 말을 바르게 배열하시오.

01 우리는 당신이 더 오래 머물기를 원한다.
(you, to stay, want, we, longer) ↻ skill 16

02 경찰관은 내가 벌금을 내도록 했다.
(pay, me, the policeman, made, a fine) ↻ skill 18

03 그녀는 그의 대답에 만족한 것 같았다.
(his answer, with, seemed, she, satisfied) ↻ skill 15

04 그녀는 눈물이 자신의 뺨에 흘러내리는 것을 느꼈다.
(roll down, she, tears, her cheeks, felt) ↻ skill 17

C British 영국의　school uniform 교복　main 주요한
D pay a fine 벌금을 내다　roll down 흘러내리다　tear 눈물　cheek 뺨

CHAPTER

04

시제와
수동태
동사의 형태 변화 ①

● 시제

동작이 일어나는 시간을 동사에 나타냄
과거: 이미 일어난 일이나 역사적 사실
현재: 현재의 습관이나 일반적 사실, 진리
미래: 앞으로 일어날 일
현재완료: 과거에 일어나 현재까지 영향을 미치고 있는 일(완료·경험·계속·결과)
「have[has]+p.p.」

● 태

주어로 쓰인 말이 동사가 나타내는 동작을 하는지, 아니면 동작을 당하는지를 보여주는 동사 형태
능동태: 동작의 주체를 주어로 두는 동사 형태
수동태: 수동적으로 동작의 영향을 받거나 당하는 대상을 주어로 두는 동사 형태
「be동사+p.p.」

현재완료 문장 읽기 (1)

기차는　　　　　　　이미 떠났다　　　　　　역을

The train | has already left | the station.

have[has]+p.p. (완료)

- 현재완료는 「**have[has]+p.p.**」의 형태로, 과거에 일어난 일이 현재까지 영향을 미치고 있음을 나타낸다.
- 현재완료가 already, yet, just 등과 함께 쓰여 완료를 나타낼 때는 '**벌써[이미, 막] ~했다**'로 해석한다.
- 현재완료가 ever, once, before, ~ times 등과 함께 쓰여 경험을 나타낼 때는 '**~한 적이 있다**'로 해석한다.

어법 현재완료는 yesterday, last week, two years ago 등 특정 과거 시점을 나타내는 부사(구)와 함께 쓸 수 없다.

🔍 다음 밑줄 친 부분에 유의하여 문장을 해석하시오.

1　It has just stopped raining.

⇨

2　I have tried windsurfing once in my life.

⇨

3　I haven't received my order yet.

⇨

4　He has never cheated on an exam.

⇨

5　Have you ever ridden a motorcycle?

⇨

🔒 **해석의 Key**

「have[has] + never + p.p.」는 경험을 나타내며 '(결코) ~한 적이 없다'로 해석한다.

어법 다음 괄호 안에서 알맞은 말을 고르고, 문장을 해석하시오.

6　I have seen the actor [before / a month ago].

⇨

7　I [have bought / bought] this car last year.

⇨

☐ **station** 역, 정거장
☐ **windsurf** 윈드서핑하다
☐ **receive** 받다
☐ **order** 주문품, 주문
☐ **cheat** (시험에서) 부정행위를 하다
☐ **motorcycle** 오토바이

Answer p.7

현재완료 문장 읽기 (2)

나는 계속 살아왔다   이 마을에서   10년 동안

I have lived | in this town | for ten years.

have[has] + p.p. (계속)

- 현재완료가 for, since, how long 등과 함께 쓰여 계속을 나타낼 때는 '(계속) ~해 왔다'로 해석한다.
- 현재완료가 결과를 나타낼 때는 '~해버렸다(그래서 지금 …하다)'로 해석한다.

어법 「for + 기간」은 '~동안'의 의미이고, 「since + 과거 시점」은 '~이래로'의 의미이다.

🔍 다음 밑줄 친 부분에 유의하여 문장을 해석하시오.

1   I have worked here since 2013.

   ↪

2   Mom has lost her purse at the market.

   ↪

3   How long have you used this phone?

   ↪

4   Jessica has gone to New York.

   ↪

5   All the failures in my life have made me stronger.

   ↪

🔒 **해석의 Key**

have gone to는 결과 용법으로 쓰인 것으로 '~로 가고 없다'라고 해석한다. have been to는 경험 용법으로 쓰인 것으로 '~에 가 본 적이 있다'라고 해석한다.

어법 다음 괄호 안에서 알맞은 말을 고르고, 문장을 해석하시오.

6   I haven't heard from him [for / since] last year.

   ↪

7   The Jewish people have kept this tradition [for / since] over 3,000 years.

   ↪

☐ lose 잃다 (-lost)
☐ purse (여성용) 지갑
☐ market 시장
☐ failure 실패
☐ Jewish 유대인의
☐ tradition 전통
☐ over ~ 이상

Answer p.7

많은 아이들은   길러진다   그들의 조부모님에 의해

Many children | are raised | by their grandparents.

주어   be p.p.   by+행위자

- 수동태의 기본 형태는 「주어+be p.p.+(by+행위자)」이며 '주어가 (~에 의해) ~되다[당하다]'로 해석한다.

어법 수동태의 행위자가 일반인일 때, 또는 불분명하거나 중요하지 않을 때는 「by+행위자」를 생략할 수 있다.

🔎 다음 밑줄 친 부분에 유의하여 문장을 해석하시오.

1 These flowers are watered by the gardener every evening.

⇨

2 St. Patrick's Day is celebrated by people all over the world.

⇨

3 In the summer, the place is visited by thousands of tourists.

⇨

4 A lot of money is spent by a company on advertising.

⇨

5 This boy band is loved by many teenage girls.

⇨

어법 다음 괄호 안에서 알맞은 말을 고르고, 문장을 해석하시오.

6 The quality of the water [checks / is checked] regularly.

⇨

7 Spanish [is spoken / speaks] in Spain, Mexico, and most of South America.

⇨

□ water (화초 등에) 물을 주다
□ gardener 정원사
□ celebrate 기념하다, 축하하다
□ thousands of 수천의
□ tourist 관광객
□ advertising 광고(하기)
□ boy band 젊은 남성 밴드[댄스 그룹]
□ quality 질
□ regularly 정기적으로

Answer p.7

새 놀이공원은   개장될 것이다   다음 주에

The new amusement park | will be opened | next week.

주어   will be p.p.

- 과거시제 수동태는 「주어＋was[were] p.p.＋(by＋행위자)」이며 '주어가 (~에 의해) ~되었다'로 해석한다.
- 미래시제 수동태는 「주어＋will be p.p.＋(by＋행위자)」이며 '주어가 (~에 의해) ~될 것이다'로 해석한다.
- 현재완료 수동태는 「주어＋have[has] been p.p.＋(by＋행위자)」이며 '벌써[이미, 막] ~되었다', '~된 적이 있다', '(계속) ~되어 왔다', '~돼버렸다'로 해석한다.

어법 미래시제 수동태의 부정형은 「주어 + will not be p.p. + (by + 행위자)」이다.

🔍 다음 밑줄 친 부분에 유의하여 문장을 해석하시오.

1 The dog was hit by a truck.

⤷

2 More than 300 people were injured by a tornado in Georgia.

⤷

3 This street has already been closed because of snow.

⤷

> 🔒 **해석의 Key**
> 부사 already로 보아 현재완료의 완료 용법으로 쓰였음을 알 수 있으며, '이미 ~되었다'로 해석한다.

4 Herbs have been used for hundreds of years for healing.

⤷

5 The piano will be played by her.

⤷

어법 다음 괄호 안에서 알맞은 말을 고르고, 문장을 해석하시오.

6 This car will not be [stolen / stole]. It's too old.

⤷

7 The problem [will be not solved / will not be solved] easily.

⤷

□ injure 부상을 입히다
□ tornado 토네이도
□ herb 허브, 약초
□ hundreds of 수백의
□ healing 치료, 치유
□ steal 훔치다(stole-stolen)
□ easily 쉽게

Answer p.7

네모
어법 **A** 다음 문장의 네모 안에서 어법상 알맞은 것을 고르시오.

01 I have been to Hawaii   once / last summer . ↪ skill 19

02 My dad has been busy   for / since   last week. ↪ skill 20

03 The best cheese   produces / is produced   in France. ↪ skill 21

04 This glass   will be not broken / will not be broken   easily. ↪ skill 22

05 I   have never traveled / have traveled never   abroad. ↪ skill 19

보기
선택 **B** [01~05] 다음 문장에서 밑줄 친 부분의 의미를 보기 에서 골라 기호를 쓰시오. ↪ skill 19, 20

보기   ⓐ 완료   ⓑ 경험   ⓒ 결과   ⓓ 계속

01 Lisa has had a bad cold for two weeks.

02 Have you ever fallen in love at first sight?

03 Ouch! I think I have hurt my leg!

04 The exam has already finished.

05 How long have you played the violin?

A produce 생산하다   abroad 해외로
B cold 감기   fall in love 사랑에 빠지다   at first sight 첫눈에

[06-10] 다음 문장의 종류를 [보기] 에서 골라 기호를 쓰시오. skill 21, 22

[보기]   ⓐ 능동태   ⓑ 수동태

06   The mechanic checks the brakes regularly.

07   Most of these grapes are grown in California.

08   The emperor built the Taj Mahal in memory of his wife.

09   The project will be finished by tomorrow.

10   The last piece of cake has been eaten by my dog.

해석 완성 **C** 다음 밑줄 친 부분에 유의하여 우리말 해석을 완성하시오.

01   Have you ever met a celebrity? skill 19

     너는 유명 인사를 _____?

02   Tony and Brian have been friends for many years. skill 20

     Tony와 Brian은 수년간 _____.

03   Vietnam was divided into two countries in 1954. skill 22

     베트남은 1954년에 두 개의 나라로 _____.

04   The present has not been opened yet. skill 22

     그 선물은 아직 _____.

05   Many road accidents are caused by drunk driving. skill 21

     많은 도로 사고가 음주운전에 의해 _____.

B mechanic 정비공   grow 재배하다   emperor 황제   in memory of ~을 추모해서
C celebrity 유명 인사   divide into ~로 나누다   road 도로   cause 일으키다, 초래하다   drunk driving 음주운전

어순 배열 D 다음 우리말과 일치하도록 괄호 안의 말을 바르게 배열하시오.

01 이 작가의 기사는 많은 사람들에 의해 읽힌다.
(by, many people, read, are, this writer's articles) ↻ skill 21

02 그 소설은 10개 이상의 언어로 번역되었다.
(translated, the novel, into, was, more than 10 languages) ↻ skill 22

03 그녀는 오늘 아침부터 그녀의 방에 있었다.
(since, she, been, this morning, in her room, has) ↻ skill 20

04 그 제품은 온라인으로는 판매되지 않을 것이다.
(sold, the products, be, not, will, online) ↻ skill 22

05 나는 아직 그의 편지를 읽지 않았다.
(read, I, have, yet, not, his letter) ↻ skill 19

D article 기사 translate 번역하다 language 언어 product 제품

CHAPTER

05

조동사와 가정법
동사의 형태 변화 ②

● **조동사**

개념
본동사의 기본 의미에 능력, 추측, 허가, 의무 등의 의미를 추가하는 말

특징
조동사 뒤에는 항상 동사원형이 오며, 부정을 나타낼 때는 조동사 바로 뒤에 not을 붙인다.

종류
능력: can, be able to
허가: can, may
과거의 습관: used to, would
소망: would like to, would rather

추측 · 가능성: must, may, can
의무: must, have to
충고 · 권유: should, ought to, had better

● **직설법**

'있는 사실을 그대로' 표현하는 방법

● **가정법**

'사실을 반대로' 가정 · 소망하거나, '실현 가능성이 없거나 아주 희박한 일'을 가정 · 소망하여 표현하는 방법

used to / would가 쓰인 문장 읽기

그는		일기를 쓰곤 했다		그가 어렸을 때

He | used to keep a diary | when he was young.

주어   조동사   동사원형

- 「used to/would+동사원형」은 '(과거에) ~하곤 했다'로 해석한다. 과거의 반복된 행동을 나타낼 때 이러한 표현을 쓴다.
  I would read a fashion magazine in my leisure time. (나는 여가 시간에 패션 잡지를 보곤 했다.)

> **어법** 조동사 used to는 과거의 상태를 나타내기도 하는데, 이때 「used to + 동사원형」은 '(과거에는) ~였다[~이 있었다]'로 해석한다. 조동사 would는 과거의 상태를 나타낼 수 없다.

🔍 다음 밑줄 친 부분에 유의하여 문장을 해석하시오.

1 I used to go to the ballpark every month.

⇨

2 We would date at the aquarium on weekends.

⇨

3 Linda used to spray perfume in her hair.

⇨

4 There used to be a tall tree on the hill.

⇨

5 My father would carve a pumpkin every Halloween.

⇨

🔑 **해석의 Key**

조동사 used to와 would 모두 '과거에는 그러했으나 지금은 그렇지 않다'는 뜻을 내포하고 있다.

어법 다음 괄호 안에서 알맞은 말을 고르고, 문장을 해석하시오.

6 Jake used to [go / going] hiking to a nearby mountain.

⇨

7 There [used to / would] be a white lighthouse on this beach.

⇨

- ☐ **ballpark** 야구장
- ☐ **aquarium** 수족관
- ☐ **perfume** 향수
- ☐ **hill** 언덕
- ☐ **carve** 조각하다
- ☐ **pumpkin** 호박
- ☐ **nearby** 가까운, 인근의
- ☐ **lighthouse** 등대

Answer p.8

had better / would rather가 쓰인 문장 읽기

너는   더 많은 채소를 먹는 게 좋겠다

You | had better eat more vegetables.
주어   조동사   동사원형

- 「had better+동사원형」은 '~하는 게 좋겠다'로 해석한다.
- 「would rather+동사원형」은 '차라리 ~하겠다[할 것이다]'로 해석한다. than과 함께 쓰이면 '…하느니 차라리 ~하겠다[할 것이다]'로 해석한다.
  I **would rather** take the subway during rush hour. (교통이 혼잡한 시간에는 차라리 지하철을 타겠다.)

어법 조동사 had better와 would rather의 부정형은 각각 had better not, would rather not으로 쓴다.

🔍 다음 밑줄 친 부분에 유의하여 문장을 해석하시오.

1 We <u>had better</u> listen to his advice.

  ⇨

2 I <u>would rather</u> save money than buy new clothes.

  ⇨

3 I <u>would rather</u> not go for a drive in this poor weather.

  ⇨

4 You'd <u>better</u> not call her late at night.

  ⇨

> **🔒 해석의 Key**
> 'd는 had나 would가 축약된 형태로 이해하고 해석한다.

5 I'd <u>rather</u> see a dentist than suffer from a toothache.

  ⇨

어법 다음 괄호 안에서 알맞은 말을 고르고, 문장을 해석하시오.

6 I [would rather not / would not rather] go out because of the flu.

  ⇨

> □ **advice** 충고
> □ **save** 저축하다, 절약하다
> □ **see a dentist** 치과에 가다
> □ **suffer from** ~로 고생하다
> □ **toothache** 치통
> □ **flu** 독감
> □ **hair style** 머리 모양

7 Anne [had not better / had better not] change her hair style.

  ⇨

Answer p.8

would like to가 쓰인 문장 읽기

나는   콜라 한 잔을 마시고 싶다

I │ would like to drink a cup of Coke.
주어   조동사   동사원형

- 「would like to+동사원형」은 '~하고 싶다'로 해석한다. would like를 want와 유사한 표현으로 이해하도록 한다.

어법 「would like」 바로 뒤에 'to+동사원형' 대신 '명사'가 올 수도 있다.
I would like a cup of Coke.

🔍 다음 밑줄 친 부분에 유의하여 문장을 해석하시오.

1 I would like to get some advice from an expert.

⇨

2 The rock band would like to take part in the music festival.

⇨

3 Would you like to join us on our picnic tomorrow?

⇨

4 We'd like to stay at a hotel during the trip.

⇨

5 What would you like to have for lunch?

⇨

어법 다음 괄호 안에서 알맞은 말을 고르고, 문장을 해석하시오.

6 Would you like to [some snacks / eat some snacks]?

⇨

7 They'd like [watch / to watch] a horror movie tonight.

⇨

□ **expert** 전문가
□ **take part in** ~에 참여하다
□ **festival** 축제
□ **join** 함께 하다, 가입하다
□ **picnic** 소풍
□ **stay** 머무르다
□ **snack** 간식
□ **horror** 공포

Answer p.9

> 만약 내가 충분한 돈을 갖고 있다면   그녀에게 선물을 사줄 수 있을 텐데
>
> # If I had enough money, | I could buy her a present.
> If+주어+동사의 과거형   주어+조동사의 과거형+동사원형

- 가정법 과거 문장은 현재 사실과 반대되거나 실현이 거의 불가능한 일을 가정 · 소망할 때 쓴다.
- 「If+주어+동사의 과거형~, 주어+조동사의 과거형+동사원형…」의 형태이며, '(현재에) 만약 ~하다면[라면] …할 텐데' 로 해석한다.

어법 가정법 과거 문장의 if절에서 be동사는 인칭이나 수에 관계없이 were를 쓴다.
If I were born again, I would be a pilot.

Q 다음 밑줄 친 동사의 형태에 유의하여 문장을 해석하시오.

1 If I had no friends, I might feel so lonely.

   ⇨ _____

2 I could go to the fitness center if I didn't have a lot of work.

   ⇨ _____

> **해석의 Key**
> 가정법 과거 문장에서 if절의 부정은 「if + 주어 + did not + 동사원형~」의 형태이다.

3 If you were healthy, you could take a long trip.

   ⇨ _____

4 If Sam had a big suitcase, he would lend it to me.

   ⇨ _____

5 Allen would allow students to play outside if he were the principal.

   ⇨ _____

어법 다음 괄호 안에서 알맞은 말을 고르고, 문장을 해석하시오.

6 If I [have / had] a daughter, I would go shopping with her.

   ⇨ _____

> □ fitness center 헬스클럽
> □ suitcase 여행 가방
> □ lend 빌려주다
> □ allow 허락하다
> □ principal 교장
> □ daughter 딸
> □ married 결혼한
> □ boring 지루한

7 If I [was / were] not married, my life would be very boring.

   ⇨ _____

Answer p.9

skill 27   가정법 과거완료 문장 읽기

만약 내가 진실을 말했다면   Janet은 나를 용서해줬을 텐데

If I had told the truth, | Janet would have forgiven me.
<small>If + 주어 + had p.p.</small>   <small>주어 + 조동사의 과거형 + have p.p.</small>

- 가정법 과거완료 문장은 과거 사실과 반대되는 일을 가정 · 소망할 때 쓴다.
- 「If + 주어 + had p.p. ~, 주어 + 조동사의 과거형 + have p.p. …」의 형태이며, '(과거에) 만약 ~했다면[였다면] …했을 텐데'로 해석한다.

> **어법** 가정법 문장의 if절과 주절에 쓰인 동사의 형태에 유의하면, 가정법 '과거' 문장인지 가정법 '과거완료' 문장인지를 구별할 수 있다.

🔍 다음 밑줄 친 동사의 형태에 유의하여 문장을 해석하시오.

1   If she had been there, she would have met him.

> ⤷

2   They would not have cancelled the event if the weather had been fine.

> ⤷

3   You could have gotten a discount if you had shown your student ID.

> ⤷

4   If I had not spent all my money, I could have bought the ring.

> ⤷

🔒 **해석의 Key**
가정법 과거완료 문장에서 if절의 부정은 「if + 주어 + had not + p.p. ~」의 형태이다.

어법 다음 괄호 안에서 알맞은 말을 고르고, 문장을 해석하시오.

5   If they [fastened / had fastened] their seat belts, they would have survived the accident.

> ⤷

6   If I had not become a reporter, I might [have become / become] a writer.

> ⤷

- ☐ cancel 취소하다
- ☐ discount 할인
- ☐ student ID 학생증
- ☐ fasten 매다, 채우다
- ☐ seat belt 안전벨트
- ☐ survive 살아남다
- ☐ reporter 기자
- ☐ writer 작가

네모
어법 **A** 다음 문장의 네모 안에서 어법상 알맞은 것을 고르시오.

01 They didn't have better / had better not waste time. ↻ skill 24

02 Would you like drink / to drink something sweet? ↻ skill 25

03 If I am / were in your shoes, I would do the work right now. ↻ skill 26

04 There used to / would be an Italian restaurant here. ↻ skill 23

05 If she had not been tired, she would watch / have watched ↻ skill 27
the TV show.

보기
선택 **B** 다음 문장에서 밑줄 친 조동사의 의미를 보기 에서 골라 기호를 쓰시오. ↻ skill 23, 24, 25

보기   ⓐ 과거의 습관(~하곤 했다)   ⓑ 충고(~하는 게 좋겠다)   ⓒ 소망(~하고 싶다)

01 It's cold today. You had better not play outside.

02 Jerry used to visit his uncle every Saturday when young.

03 Would you like to eat out tonight?

04 Sora would ride a bicycle along the river.

05 I would like to discuss this issue with you.

A waste 낭비하다   sweet 달콤한, 단   be in one's shoes ~의 입장이 되다
B uncle 삼촌   discuss 논의하다   issue 문제

해석
완성 **C** 다음 밑줄 친 부분에 유의하여 우리말 해석을 완성하시오.

01 I would rather not answer such a question. ↪ skill 24

나는 _____.

02 I would like to use a newspaper delivery service. ↪ skill 25

나는 _____.

03 If it had not been hot, I would have played tennis with you. ↪ skill 27

만약 날씨가 _____, 나는 너와 함께 _____.

04 I could eat all the food if I were starving. ↪ skill 26

만약 내가 _____.

어순
배열 **D** 다음 우리말과 일치하도록 괄호 안의 말을 바르게 배열하시오.

01 너는 그 약을 지금 먹지 않는 것이 좋겠다.
(had better, you, not, take the medicine, now) ↪ skill 24

02 나는 주말마다 친구들과 농구를 하곤 했다.
(with my friends, I, on weekends, play basketball, used to) ↪ skill 23

03 만약 그가 여가 시간이 있다면, 그는 가족과 함께 보낼 텐데.
(had free time, if, he, with his family, would spend it, he) ↪ skill 26

04 만약 그녀가 나를 도와주었다면, 나는 그 임무를 끝낼 수 있었을 텐데.
(had helped me, if, I, could have completed, she, the mission) ↪ skill 27

C newspaper 신문 delivery 배달 starving 배고픈, 굶주린
D medicine 약 complete 끝내다, 완료하다 mission 임무

CHAPTER

06

수식어구
문장의 확장

부사적 수식어구 ●

동사 · 형용사 · 부사 수식

부사
전치사구
to부정사(구)

● 형용사적 수식어구

명사 수식

형용사
전치사구
to부정사(구)
분사(구)

수식어구

단어나 문장의
의미를 풍부하게
해 주는 말

to부정사가 명사를 수식하는 문장 읽기

모든 사람은 필요로 한다   친구를   이야기할

Everyone needs │ a friend │ [to talk to].

명사   to부정사구

• **to부정사**가 **명사(구)**를 뒤에서 수식하여 형용사처럼 쓰일 때는 '**～하는, ～할**'로 해석한다.

어법 「명사(구) + to부정사 + 전치사」: to부정사 앞에 쓰인 명사(구)가 전치사의 목적어일 경우, to부정사 뒤에 전치사를 쓴다.

🔍 다음 문장에서 밑줄 친 부분을 수식하는 to부정사(구)를 찾아 [　]로 묶고, 문장을 해석하시오.

1 Reading is the best way to learn a language.

⇨

2 I packed some books to read on the train.

⇨

3 Would you like something warm to drink?

⇨

4 We found an empty bench to sit on.

⇨

5 He bought a house to live in with his family.

⇨

어법 다음 괄호 안에서 알맞은 말을 고르고, 문장을 해석하시오.

6 My dog needs a toy [to play / to play with].

⇨

7 He gave me a piece of paper [to write on / to write].

⇨

🔒 **해석의 Key**

-thing, -body, -one으로 끝나는 대명사는 형용사가 뒤에서 수식한다. 이때 함께 꾸며줄 to부정사는 그 뒤에 써서 「-thing[-body, -one] + 형용사 + to부정사」의 순서가 된다.

☐ **way** 방법
☐ **learn** 배우다
☐ **language** 언어
☐ **pack** (짐을) 싸다, 챙기다
☐ **empty** 빈, 비어 있는

분사가 명사를 수식하는 문장 읽기

여기에 있다　　　　　　사진 몇 장이　　　　　　　　　　파티 도중에 찍힌

Here are │ some of the photos │ [taken during the party].

명사 ↑└─────────────────────┘ 과거분사구

- 현재분사(v-ing)와 과거분사(v-ed)는 명사를 수식할 수 있다. **분사가 한 단어일 때는 명사 앞에서, 수식어구를 동반하여 구를 이룰 때는 명사 뒤에서 수식한다.** 현재분사는 '~하는, ~하고 있는'으로 해석하고, 과거분사는 '~된, ~해진'으로 해석한다.

어법 감정을 나타내는 동사는 분사형으로 자주 쓰인다. v-ing는 '~한 감정을 일으키는'의 능동적 의미로, v-ed는 '~한 감정을 느끼는'의 수동적 의미로 해석한다.

🔍 다음 문장에서 밑줄 친 부분을 수식하는 분사(구)를 찾아 [ ]로 묶고, 문장을 해석하시오.

1 The excited <u>fans</u> screamed when he walked onto the stage.

　↪

2 I almost fell off my chair when I heard the surprising <u>news</u>.

　↪

3 There are <u>a lot of people</u> waiting outside the restaurant.

　↪

4 <u>All the bread</u> baked in the morning is already sold out.

　↪

5 Who is <u>the girl</u> dancing in front of the camera?

　↪

어법 다음 괄호 안에서 알맞은 말을 고르고, 문장을 해석하시오.

6 The [boring / bored] students started to nod off.

　↪

7 I finally got some rest after the [tiring / tired] day.

　↪

□ **excited** 흥분한, 신이 난
□ **scream** 소리치다, 괴성을 지르다
□ **onto** ~위로
□ **stage** 무대
□ **fall off** ~에서 떨어지다
□ **sold out** 다 팔린
□ **nod off** 졸다

Answer p.10

그녀는 미국에 갔다   음악을 공부하기 위해

She went to America | to study music.

부사 역할의 to부정사(목적)

- **to부정사가 부사 역할을 할 때는 목적, 결과, 감정의 원인, 판단의 근거 등의 의미를 나타낸다.**
- **목적을 나타낼 때는 '~하기 위해', 결과를 나타낼 때는 '~해서 (결국) …하다[되다]', 감정의 원인을 나타낼 때는 '~하니, ~해서', 판단의 근거를 나타낼 때는 '~하다니, ~하는 것을 보니'로 해석한다.**

어법 목적을 나타내는 to부정사는 in order to 또는 so as to로 쓸 수 있으며, 부정은 「(in order) not[never] to부정사」의 형태로 쓰여 '~하지 않기 위해'라고 해석한다.

🔍 다음 밑줄 친 부분에 유의하여 문장을 해석하시오.

1   She went to the grocery store <u>to buy some vegetables</u>.

⇨

2   The kids were excited <u>to go to an amusement park</u>.

⇨

3   The boy grew up <u>to be a great scientist</u>.

⇨

4   I am lucky <u>to have a good friend like you</u>.

⇨

5   He tried hard to stay awake, <u>only to fall asleep</u>. 🗝

⇨

🔒 해석의 Key
to부정사가 only와 함께 쓰이면 but의 의미를 포함하여 '하지만 (결국) ~하게 하다[되다]'로 해석한다.

어법 다음 괄호 안에서 알맞은 말을 고르고, 문장을 해석하시오.

6   She arrived early [so as / so as to] get a good seat.

⇨

7   They spoke quietly [in order not to / not in order to] wake the children.

⇨

□ **grocery store** 식료품점
□ **amusement park** 놀이공원
□ **stay awake** (자지 않고) 깨어 있다
□ **fall asleep** 잠들다
□ **arrive** 도착하다

Answer p.10

내 여행 가방은 너무 작다   이 모든 옷을 담기에는

My suitcase is <u>too small</u> | <u>to hold</u> all these clothes.

too   형용사   to부정사

- 「too + 형용사[부사] + to부정사」는 '…하기에는 너무 ~하다' 또는 '너무 ~해서 …할 수 없다'로 해석한다.

어법 「too + 형용사[부사] + to부정사」는 「so + 형용사[부사] + that + 주어 + can't[couldn't] + 동사원형」으로 바꿔 쓸 수 있다.

🔍 다음 밑줄 친 부분에 유의하여 문장을 해석하시오.

1 The cat is <u>too fat to go through the door.</u>

2 The river was <u>too cold to swim in.</u>

3 The guards arrived <u>too late to catch the thief.</u>

4 This dress is <u>too tight for me to wear.</u>

🔑 **해석의 Key**

to부정사의 행위의 주체는 의미상의 주어라고 하며, 일반적으로 to부정사 앞에 「for + 목적격」으로 나타낸다.

5 The piano is <u>too heavy for him to carry upstairs.</u>

어법 다음 괄호 안에서 알맞은 말을 고르고, 문장을 해석하시오.

6 The tea is [so / too] hot to drink.

7 The boy was [so / too] sick that he couldn't go to school.

□ **go through** ~을 통과하다
□ **guard** 경비원, 경호원
□ **catch** 잡다
□ **thief** 도둑
□ **tight** (옷이 몸에) 꽉 조이는
□ **upstairs** 위층으로

「~ enough to」 문장 읽기

Lisa는 충분히 똑똑하다   멘사 회원이 될 만큼
Lisa is smart enough | to be a member of Mensa.
형용사   enough   to부정사

「형용사[부사] + enough + to부정사」는 정도를 나타내며 '…할 만큼 충분히 ~한'으로 해석한다.

어법 「형용사[부사] + enough + to부정사」는 「so + 형용사[부사] + that + 주어 + can[could] + 동사원형」으로 바꿔 쓸 수 있다.

🔍 다음 밑줄 친 부분에 유의하여 문장을 해석하시오.

1 Eric is old enough to drive.

　⇨

2 The girl wasn't tall enough to reach the light switch.

　⇨

3 He is strong enough to carry the box.

　⇨

4 I don't have enough time to prepare for the interview.

　⇨

> 🔑 해석의 Key
> enough는 「enough + 명사 + to부정사」의 형태로 명사를 수식하기도 한다. '~할 만큼 충분한'이라고 해석한다.

5 He was patient enough to wait for me for one hour.

　⇨

어법 다음 괄호 안에서 알맞은 말을 고르고, 문장을 해석하시오.

6 He was [so rich / rich enough] that he could buy a limousine.

　⇨

7 This book is [so / enough] easy that I can read it.

　⇨

□ **reach** 닿다, 이르다
□ **light** 전등
□ **prepare for** ~를 준비하다
□ **interview** 면접, 인터뷰
□ **patient** 참을성 있는
□ **limousine** 리무진

Answer p.11

네모
어법 **A** 다음 문장의 네모 안에서 어법상 알맞은 것을 고르시오.

01 Give me some | water to drink / to drink water | . ↻ skill 28

02 The survey showed some | worrying / worried | results. ↻ skill 29

03 The girl grew up | to be / being | a great actress. ↻ skill 30

04 She was | so / too | tired to walk home. ↻ skill 31

05 He is | tall enough / enough tall | to join the basketball team. ↻ skill 32

보기
선택 **B** 다음 문장에서 밑줄 친 부분의 의미를 보기 에서 골라 기호를 쓰시오. ↻ skill 30

보기 ⓐ 목적   ⓑ 결과

01 I entered the music school to be a musician.

02 I went to the library to return some books.

03 The boy grew up to become a dancer.

04 David studied hard to be the top student in his class.

05 The excited pirates opened the treasure chest, only to find it empty.

A survey (설문) 조사   result 결과   join 가입하다
B enter 입학하다, 들어가다   musician 음악가   library 도서관   return 반납하다, 돌려주다   pirate 해적
treasure chest 보물 상자

해석
완성 **C** 다음 문장에서 밑줄 친 부분을 수식하는 말을 [ ]로 묶고, 우리말 해석을 완성하시오.

01 The frightened children held each other tight. ↻ skill 29

_____ 아이들은 서로를 꼭 껴안았다.

02 He was the first student to hand in the exam papers. ↻ skill 28

그는 _____ 첫 번째 학생이었다.

03 There is not enough snow to ski on. ↻ skill 28

_____ 충분한 눈이 없다.

04 We have to take the bus coming over there. ↻ skill 29

우리는 _____ 버스를 타야 한다.

어순
배열 **D** 다음 우리말과 일치하도록 괄호 안의 말을 바르게 배열하시오.

01 그는 일어나보니 병원 침대에 있었다.
(he, himself, find, to, awoke, in a hospital bed) ↻ skill 30

_____

02 그들은 불타는 건물 밖으로 뛰어 나갔다.
(ran, the, building, they, out of, burning) ↻ skill 29

_____

03 그녀는 너무 긴장해서 그 질문에 답을 할 수가 없었다.
(answer, nervous, was, to, she, too, the question) ↻ skill 31

_____

04 그 수영장은 다이빙을 할 수 있을 만큼 충분히 깊다.
(deep, the pool, in, is, to, dive, enough) ↻ skill 32

_____

C frightened 겁이 난, 무서워하는 hold 잡다, 안다 hand in ~를 제출하다
D awake 일어나다, 잠에서 깨다 out of ~밖으로 nervous 긴장한 pool 수영장 dive 다이빙하다

CHAPTER

07

명사절
문장에서 명사를 대신하는 절

● 주절

종속절이 있는 문장에서 주인이 되는 절로, 그 자체로 완전한 문장이 될 수 있다.

● 종속절

주절에 딸려 붙어 있는 절로, 접속사나 관계사로 시작하며 단독으로 쓰지 못한다. 문장 내에서의 역할에 따라 명사절·형용사절·부사절로 나누어진다.

● 종속접속사

종속절을 주절에 연결시켜주는 접속사이다.
I loved history when I was at school.
   주절   종속접속사 when이 이끄는 종속절

● 명사절

명사처럼 활용할 수 있는 절로, 문장에서 주어·목적어·보어 역할을 한다. that절, 의문사절(간접의문문), 관계대명사 what이 이끄는 절 등이 있다.

● 의문사의 종류

who(누가), what(무엇), which(어떤 것), when(언제), where(어디서), how(어떻게), why(왜)

나는　　안다　　　　　　　시간은 어떤 사람도 기다려주지 않는다는 것을

I | know | that time waits for no man.
주어　　동사　　　　　　　　　　　목적어(that절)

- 접속사 that이 이끄는 절은 「**that＋주어＋동사~**」의 형태로, 명사 역할을 하므로 주어 · 목적어 · 보어 자리에 올 수 있다. that절의 쓰임에 따라 다음과 같이 해석한다.
  - that절이 주어일 때: '~하다는[라는] 것은' (주어로 쓰인 that절은 항상 단수 취급)
  - that절이 목적어일 때: '~하다고[라고]', '~하다는 것을', '~하기를'
  - that절이 보어일 때: '~하다는[라는] 것(이다)'

어법 that절이 동사의 목적어이거나 be동사의 보어일 때, 접속사 that은 종종 생략되기도 한다.
Mom believes (that) the rumor is not true.

🔍 다음 밑줄 친 부분의 문장 성분(주어/목적어/보어)을 쓰고, 문장을 해석하시오.

1 It is dangerous that you leap with one leg.

⇨

2 The problem is that we don't have enough money.

⇨

3 Many people expected that she would win the gold medal.

⇨

4 The important thing is that the members should respect one another.

⇨

🔒 **해석의 Key**

that절이 주어일 때, 「It (가주어) ~ that절(진주어)」 형태로 쓰는 것이 일반적이다. 이렇게 문장 앞에 가리키는 바가 없는 It이 나오고 뒤에 that절이 나오면 that절을 주어로 해석한다.

어법 다음 문장에서 that이 들어가기에 알맞은 곳을 고르고, 문장을 해석하시오.

5 He ① thought ② he could ③ build ④ the tower ⑤ in 3 months.

⇨

6 It ① was ② clear ③ she ④ was talented ⑤ in languages.

⇨

□ **leap** 뛰다
□ **expect** 기대하다
□ **member** 구성원
□ **respect** 존중[존경]하다
□ **one another** 서로
□ **clear** 분명한
□ **talented** 재능이 있는
□ **language** 언어

Mark는   숨겼다   그가 거짓말을 했다는 사실을

Mark │ hid │ the fact that he told a lie.

주어   동사   목적어(동격의 that절)

- that이 이끄는 명사절은 명사를 뒤에서 보충 설명하기도 한다. 이때 접속사 that을 동격의 that이라 한다.
- **동격의 that**이 이끄는 절은 '~하다는[라는]'으로 해석하며, 앞에 나온 명사를 더 구체적으로 설명하는 부분으로 이해한다.

어법 동격절 앞에는 주로 idea(생각), thought(생각), opinion(의견), question(질문, 문제), fact(사실), truth(진실), news(소식), rumor(소문), decision(결정), belief(믿음) 등의 명사가 오며, 동격의 that은 생략할 수 없다.

🔍 다음 밑줄 친 부분에 유의하여 문장을 해석하시오.

1 I was scared at the thought that it might be a ghost.

⇨

2 I heard the news that a big volcano erupted in Hawaii.

⇨

3 I don't believe the rumor that Jack stole my money.

⇨

4 The opinion that everybody's life has the same value is right.

⇨

5 I won't give up the idea that I can overcome any difficulty.

⇨

🔒 해석의 Key

that절에 속한 동사와 문장 전체의 동사를 혼동하지 않도록 유의한다. 접속사 that 뒤에 이어지는 주어와 동사를 찾고 that절이 어디까지인지를 파악하여 하나로 묶어 읽는다.

어법 다음 문장에서 that이 들어가기에 알맞은 곳을 고르고, 문장을 해석하시오.

6 The belief ① he ② would get ③ better ④ saved ⑤ his life.

⇨

7 I ① came to ② the decision ③ I would ④ accept ⑤ their offer.

⇨

☐ volcano 화산
☐ erupt 분출하다
☐ value 가치
☐ give up ~을 포기하다
☐ overcome 극복하다
☐ difficulty 어려움
☐ save 구하다
☐ accept 받아들이다
☐ offer 제안

Answer p.11

우리는　　　　　모른다　　　　　　　　그가 언제 서울에 도착할지를
We | don't know | when he will arrive in Seoul.
주어　　　　　동사　　　　　　　　　　목적어(의문사절)

- 의문사절(간접의문문)은 「의문사(+주어)+동사~」의 형태로, 명사 역할을 하므로 주어 · 목적어 · 보어 자리에 올 수 있다. 의문사의 쓰임에 따라 다음과 같이 해석한다.

who 의문사절: 누가[누구를] ~인지	what 의문사절: 무엇이[무엇을] ~인지	which 의문사절: 어떤 것이[것을] ~인지
when 의문사절: 언제 ~인지	where 의문사절: 어디서 ~인지	why 의문사절: 왜 ~인지
how 의문사절: 어떻게 ~인지	how+형용사[부사] 의문사절: 얼마나 …한[하게] ~인지	

어법 의문사절이 주어로 쓰이면 항상 단수 취급하므로, 뒤에 단수 동사가 온다.

🔍 다음 밑줄 친 부분에 유의하여 문장을 해석하시오.

1 The question is <u>who will finish the work</u>.

2 The point is <u>how she earned the money</u>.

3 It doesn't matter <u>where you live on this planet</u>.

4 Do you know <u>how long we can survive without eating</u>?

🔒 해석의 Key

의문사절이 주어일 때, 문장을 「It(가주어) ~ 의문사절(진주어)」 형태로 쓰기도 한다. 이렇게 문장 앞에 가리키는 바가 없는 It이 나오고 뒤에 의문사절이 나오면 의문사절을 주어로 해석한다.

어법 다음 괄호 안에서 알맞은 말을 고르고, 문장을 해석하시오.

5 Why she stole the ring [was / were] a mystery.

6 What others think of you [is / are] not important.

- **the point is** 요점은 ~이다, 내 말은 ~라는 것이다
- **earn** (돈을) 벌다
- **matter** 중요하다
- **planet** 세상, 행성
- **survive** 살아남다, 생존하다
- **mystery** 수수께끼, 미스터리

what절이 주어인 문장 읽기

내가 정말로 필요한 것은   너의 도움이다

What I really need │ is your help.

주어(관계대명사 what이 이끄는 절)   동사

- 관계대명사 what이 이끄는 절은 「what(+주어)+동사~」의 형태로, 명사 역할을 한다.
- what절은 주어 자리에 올 수 있으며, '~하는 것은'이라고 해석한다.

어법 what절이 주어로 쓰이면 항상 단수 취급하므로, 뒤에 단수 동사가 온다.

🔍 다음 문장에서 주어에 밑줄을 긋고, 문장을 해석하시오.

1 What I want is your love. 🔑

2 What she said made me laugh.

3 What he did was against the law.

4 What they found on the island was a treasure chest.

5 What you have to do is to learn from your mistakes.

🔓 **해석의 Key**

what절이 주어일 때, what절에 속한 동사와 문장 전체의 동사를 혼동하지 않도록 유의한다. 대개 두 번째 오는 동사가 문장 전체의 동사이다.

어법 다음 괄호 안에서 알맞은 말을 고르고, 문장을 해석하시오.

6 What I like about the place [is / are] its location.

7 What made me upset [was / were] her attitude towards me.

☐ laugh 웃다
☐ against ~에 반하여[반대하여]
☐ law 법률
☐ island 섬
☐ treasure chest 보물 상자
☐ mistake 실수
☐ location 위치
☐ attitude 태도, 자세
☐ towards ~에 대한, ~를 향하여

Answer p.12

what절이 목적어인 문장 읽기

나는   믿을 수가 없다   내가 방금 본 것을

I | can't believe | what I just saw.

주어   동사   목적어(관계대명사 what이 이끄는 절)

• 관계대명사 what이 이끄는 절은 목적어 자리에도 올 수 있으며, '~하는 것을'이라고 해석한다.

어법 what이 '무엇'으로 해석되면 의문사이다.
Tell me what you ate for dinner.

🔍 다음 밑줄 친 부분에 유의하여 문장을 해석하시오.

1 You don't understand what I said.

2 Show me what is in your pocket.

3 The king gave the people what he promised them.

4 You should focus on what you are doing.

5 Don't put off until tomorrow what you should do today.

🔒 **해석의 Key**
관계대명사 what이 이끄는 절은 전치사의 목적어 자리에도 올 수 있다. what절의 의미('~하는 것')에 전치사의 뜻을 더하여 해석하도록 한다.

어법 다음 문장에서 what의 의미로 알맞은 것을 고르고, 문장을 해석하시오.

6 I read what you wrote in English. (~하는 것 / 무엇)

7 My friend Sally always lends me what I need. (~하는 것 / 무엇)

□ **understand** 이해하다
□ **pocket** 주머니
□ **promise** 약속하다
□ **focus on** ~에 집중하다
□ **put off** ~을 미루다
□ **until** ~까지
□ **lend** 빌려주다

Answer p.12

what절이 보어인 문장 읽기

이것은   이다   우리 엄마가 항상 말씀하시는 것

This | is | what my mom always says.

주어   동사   보어(관계대명사 what이 이끄는 절)

- 관계대명사 what이 이끄는 절은 보어 자리에도 올 수 있으며, '~하는 것(이다)'이라고 해석한다.

어법 관계대명사 what과 접속사 that은 둘 다 명사절을 이끌지만, what 뒤에는 문장 성분이 빠진 불완전한 절이 오는 반면, that 뒤에는 문장 성분을 모두 갖춘 완전한 절이 온다.
I know what he needs. / I know that he is kind.

🔍 다음 밑줄 친 부분에 유의하여 문장을 해석하시오.

1 This is what I want to do in my life.

⇨

2 This job is what I can do for a living.

⇨

3 That is what I would like to show on stage.

⇨

4 The blue shirt was what he bought at the store.

⇨

5 This is what happened to a 14-year-old girl in Iceland.

⇨

어법 다음 괄호 안에서 알맞은 말을 고르고, 문장을 해석하시오.

6 The letter is [what / that] I have been looking for.

⇨

7 An open mind is [what / that] we really need for our society.

⇨

□ **living** 생계, 생활비
□ **stage** 무대
□ **happen** 일어나다, 발생하다
□ **society** 사회

Answer p.12

네모
어법 **A**   다음 문장의 네모 안에서 어법상 알맞은 것을 고르시오.

01   That we should recycle bottles   is / are   important.   ↻ skill 33

02   The rumor   what / that   he is alive is true.   ↻ skill 34

03   I don't know   how much the shoes are / how much are the shoes   .   ↻ skill 35

04   Thank you for   that / what   you have done for me.   ↻ skill 37

05   What you did yesterday   was / were   wrong.   ↻ skill 36

보기
선택 **B**   [01-05] 다음 문장에서 밑줄 친 부분의 쓰임을 보기 에서 골라 기호를 쓰시오.   ↻ skill 33, 36, 37, 38

> 보기   ⓐ 주어   ⓑ 목적어   ⓒ 보어

01   The news is what I have already heard.

02   I found what he had lost last week.

03   What I need is a little bread and milk.

04   My problem is that I have been losing hair.

05   I will give her what she wants.

A   recycle 재활용하다   bottle 병   alive 살아 있는
B   already 이미, 벌써   lose 잃어버리다

[06-10] 다음 문장에서 밑줄 친 부분의 쓰임을 [보기]에서 골라 기호를 쓰시오. ↻ skill 33, 35, 36, 38

[보기]   ⓐ 주어   ⓑ 목적어   ⓒ 보어

06 It is a strange thing <u>that no one has heard from him.</u>

07 The real question is <u>when the event will take place.</u>

08 I found out <u>why they were here.</u>

09 This doll is <u>what I bought for my niece.</u>

10 <u>What is good for some people</u> may not be good for others.

해석 완성 C 다음 문장에서 명사절에 밑줄을 긋고, 우리말 해석을 완성하시오.

01 I remember that I met him before.   ↻ skill 33

나는 _____ .

02 Sugar is what we add to make food sweet.   ↻ skill 38

설탕은 _____ .

03 What he likes best for breakfast is ham and eggs.   ↻ skill 36

그가 _____ .

04 The news that he failed disappointed many people.   ↻ skill 34

그가 _____ .

05 When this picture was painted is still unknown.   ↻ skill 35

이 그림이 _____ .

B strange 이상한   take place 개최되다, 일어나다   niece (여자) 조카
C remember 기억하다   add 첨가하다   sweet 달콤한   disappoint 실망시키다   unknown 알려지지 않은

어순
배열 **D** 다음 우리말과 일치하도록 괄호 안의 말을 바르게 배열하시오.

01 요즘 그는 버는 것을 저축한다.
(he, saves, these days, what he earns) ↷ skill 37

02 아름다운 것이 항상 좋은 것은 아니다.
(is beautiful, what, good, not always, is) ↷ skill 36

03 Julie는 그녀가 꽃병을 깨뜨렸다는 사실을 말하지 않았다.
(she, the fact, Julie, didn't tell, that, broke the vase) ↷ skill 34

04 그녀가 높은 성적을 받았다는 것은 놀라웠다.
(that, surprising, it, was, got a high score, she) ↷ skill 33

05 Tom은 어떻게 Kevin이 그 문제를 풀었는지 궁금해하고 있다.
(is wondering, how, Tom, solved the problem, Kevin) ↷ skill 35

D save 저축하다 these days 요즘 vase 꽃병 surprising 놀라운 score 성적, 점수

CHAPTER
08

관계사절
문장에서 명사를 수식하는 절

● **관계대명사**

절을 이끄는 접속사 역할을 하면서, 동시에 그 절 내에서 대명사 역할을 하는 말이다. 절 안에서 주어/목적어/소유격 역할을 하며, 그 역할에 따라 주격/목적격/소유격으로 나뉜다.
This story is about a woman. + She had two sons.
→ **This story is about a woman [who had two sons].**
      선행사   주격 관계대명사(주어 She를 대신하여 쓰임)

● **관계부사**

절을 이끄는 접속사 역할을 하면서, 동시에 그 절 내에서 부사 역할을 하는 말이다. 수식을 받는 명사(선행사)의 의미에 어울리는 관계부사를 써야 한다.
He found the house. + His uncle used to live in the house.
→ **He found the house [where his uncle used to live].**
      선행사   관계부사(장소의 부사구 in the house를 대신하여 쓰임)

● **관계사절**

관계대명사나 관계부사가 이끄는 절로, 선행사를 수식하는 형용사절이다.

나는 사람들을 좋아하지 않는다   항상 불평하는

I don't like people | [who complain all the time].

선행사   주격 관계대명사

- 주격 관계대명사란 관계대명사절 안에서 주어 역할을 하는 관계대명사이다.
- 선행사(수식을 받는 명사)가 사람인 경우, 주격 관계대명사 who를 쓴다. 「**선행사(사람)＋who＋동사~**」의 구조로 나타나며, '**~하는[한] 선행사**'로 해석한다.

어법 주격 관계대명사절의 동사는 선행사의 인칭과 수에 일치시킨다.
My aunt is a chef who makes great dishes.

🔍 다음 밑줄 친 부분에 유의하여 문장을 해석하시오.

1 The woman who lives next door is a hairdresser.

    ⤷

🔒 해석의 Key
관계대명사 이후로 동사가 두 개이면 주로 두 번째 동사 앞까지가 관계대명사절이다.

2 I helped an old man who was carrying heavy bags.

    ⤷

3 Anyone who wants to join our club is welcome.

    ⤷

4 Neil Armstrong was the first man who landed on the moon.

    ⤷

어법 다음 괄호 안에서 알맞은 말을 고르고, 문장을 해석하시오.

5 Ryan is a photographer who [take / takes] pictures of nature.

    ⤷

□ **next door** 옆집에서
□ **hairdresser** 미용사
□ **carry** 들다, 나르다
□ **join** 가입하다, 참가하다
□ **welcome** 환영받는
□ **land** 착륙하다
□ **photographer** 사진사
□ **nature** 자연

6 Do you know the boys who [is / are] playing in the street?

    ⤷

주격 관계대명사 which/that이 쓰인 문장 읽기

나는 이야기를 좋아한다   행복한 결말을 가진

I like a story | [which has a happy ending].

선행사   주격 관계대명사

- 선행사가 사물·동물인 경우, 주격 관계대명사 which를 쓴다. 「선행사(사물·동물)+which+동사~」의 구조로 나타나며, '~하는[한] 선행사'로 해석한다.
- 주격 관계대명사 that은 선행사가 사람·사물·동물인 경우 모두 쓸 수 있다. 「선행사+that+동사~」의 구조로 나타나며, '~하는[한] 선행사'로 해석한다.

어법 관계대명사 that을 사용해야 하는 경우: 선행사가 「사람+동물」일 때 / 선행사에 최상급, 서수, the very, the only, the same, every, all 등이 있을 때 / 선행사가 –thing으로 끝나는 말일 때

🔍 다음 문장에서 선행사에는 밑줄을 긋고, 관계대명사절은 [ ]로 표시한 후 문장을 해석하시오.

1 The owl is a bird which stays up at night.

↳

2 The peach is a fruit which is a symbol of long life.

↳

3 Where are the eggs which were in the refrigerator?

↳

4 The shuttle bus that goes to the hotel runs every hour.

↳

어법 다음 괄호 안에서 알맞은 말을 고르고, 문장을 해석하시오.

5 Everything [which / that] has life will die sooner or later.

↳

6 I saw a boy and a dog [which / that] were crossing the street.

↳

🔒 **해석의 Key**

관계대명사 that을 접속사 that과 구별할 수 있어야 한다. 관계대명사 that은 앞에 나온 선행사를 수식하는 형용사절을 이끌며 '~하는[한]'으로 해석된다. 반면 접속사 that은 명사절을 이끌며 '~하다는[라는] 것'으로 해석된다.

☐ **owl** 올빼미, 부엉이
☐ **stay up** 깨어 있다, 안 자다
☐ **symbol** 상징
☐ **refrigerator** 냉장고
☐ **run** 운행하다
☐ **every** 매…, …마다
☐ **sooner or later** 언젠가
☐ **cross** 건너다

Answer p.13

사람은   내가 가장 존경하는   나의 아버지이다
The person | [who(m) I respect most] | is my father.
선행사   목적격 관계대명사

- 목적격 관계대명사란 관계대명사절 안에서 타동사나 전치사의 목적어 역할을 하는 관계대명사이다.
- 선행사가 사람인 경우, 목적격 관계대명사 who(m)를 쓴다. 「선행사(사람)＋who(m)＋주어＋동사~」의 구조로 나타나며, '주어가 ~하는[한] 선행사'로 해석한다.

> **어법** 관계대명사가 전치사의 목적어 역할을 할 때 전치사를 관계대명사 앞으로 옮길 수 있는데, 이때 who 대신 whom을 써야 한다.
> I like the people who(m) I work with. = I like the people with whom I work.

🔍 다음 문장에서 선행사에는 밑줄을 긋고, 관계대명사절은 [   ]로 표시한 후 문장을 해석하시오.

1 I want to marry the person who I love.

2 She got a call from a man who she didn't know.

3 Some of the guests who we invited arrived early.

4 She ran into the guy whom she dated in college.

🔒 **해석의 Key**

관계대명사 바로 뒤에 동사가 나오면 주격 관계대명사, 「주어＋동사」가 나오면 목적격 관계대명사로 이해하고 해석한다.

어법 다음 괄호 안에서 알맞은 말을 고르고, 문장을 해석하시오.

5 He is the person on [who / whom] I can rely.

6 Pain is a teacher from [who / whom] we can learn much.

□ **marry** ~와 결혼하다
□ **invite** 초대하다
□ **run into** ~와 우연히 마주치다
□ **date** ~와 데이트[연애]를 하다
□ **college** 대학교
□ **rely on** ~에 기대다, 의존하다
□ **pain** 고통
□ **learn** 배우다

목적격 관계대명사 which/that이 쓰인 문장 읽기

우산은　　　　　　　　　　　내가 지난주에 산　　　　　　　　　　고장 났다

The umbrella | [that I bought last week] | is broken.

선행사　　　　　　　　　　목적격 관계대명사

- 선행사가 사물·동물인 경우, 목적격 관계대명사 which를 쓴다. 「**선행사(사물·동물)+which+주어+동사~**」의 구조로 나타나며, '**주어가 ~하는[한] 선행사**'로 해석한다.
- 목적격 관계대명사 that은 선행사가 사람·사물·동물인 경우 모두 쓸 수 있다. 「**선행사+that+주어+동사~**」의 구조로 나타나며, '**주어가 ~하는[한] 선행사**'로 해석한다.

어법 관계대명사 that 앞에는 전치사를 쓸 수 없다.
Soccer is the sport at that Tom is good. (X) → Soccer is the sport at which Tom is good. (O)
Soccer is the sport that Tom is good at. (O)

🔍 다음 밑줄 친 부분에 유의하여 문장을 해석하시오.

1　The film <u>which you recommended to me</u> was very interesting.
　⇨

2　The dress <u>which Judy bought</u> doesn't fit her well.
　⇨

3　All the dishes <u>that we ordered</u> were fresh and delicious.
　⇨

4　You shouldn't believe everything <u>that you read in the newspaper</u>.
　⇨

어법 다음 괄호 안에서 알맞은 말을 고르고, 문장을 해석하시오.

5　Choose a subject [in that / in which] you're interested.
　⇨

6　The town [in that I live / that I live in] is very small.
　⇨

□ **recommend** 추천하다
□ **fit** (모양·크기가) 맞다
□ **dish** 요리
□ **order** 주문하다
□ **believe** 믿다
□ **choose** 선택하다
□ **subject** 주제
□ **be interested in** ~에 흥미가 있다

Answer p.14

소유격 관계대명사 whose가 쓰인 문장 읽기

나는 아픈 새를 보았다   생명이 위태로운
I saw a sick bird | [whose life was in danger].
선행사   소유격 관계대명사

- 소유격 관계대명사란 관계대명사절 안에서 소유격 역할을 하는 관계대명사로, 선행사의 종류에 관계없이 whose를 쓴다.
- whose 바로 뒤에는 항상 명사가 오며, whose는 뒤에 있는 명사가 선행사의 소유임을 나타내는 역할을 한다.
- 「선행사＋whose＋명사＋동사～」의 구조일 때는 '(선행사의) …가 ～하는[한] 선행사'로 해석한다. 「선행사＋whose＋명사＋주어＋동사～」의 구조일 때는 '(선행사의) …를 ～하는[한] 선행사'로 해석한다.

어법 「선행사＋whose＋명사＋동사～」의 구조일 때, <whose＋명사>는 관계대명사절 내에서 주어 역할을 한다. 따라서 이 경우 관계대명사절의 동사는 whose 뒤에 오는 명사의 수에 일치시킨다.

🔍 다음 문장에서 선행사에는 밑줄을 긋고, 관계대명사절은 [   ]로 표시한 후 문장을 해석하시오.

1 He gave me a flower whose name I didn't know.

⇨

2 She found a jacket whose design was very unique.

⇨

3 She apologized to the man whose glasses she broke.

⇨

4 I know a singer whose stage name is "Lady Gaga."

⇨

🔑 **해석의 Key**

이 문장에서 <whose＋명사>는 관계대명사절의 목적어 역할을 하고 있다.

어법 다음 괄호 안에서 알맞은 말을 고르고, 문장을 해석하시오.

5 A man whose voice [is / are] gentle called me.

⇨

6 This is the hotel whose rooms [faces / face] the sea.

⇨

☐ **design** 디자인
☐ **unique** 독특한
☐ **apologize** 사과하다
☐ **break** 깨뜨리다
☐ **stage name** 예명
☐ **gentle** 온화한
☐ **face** 향하다, 마주 보다

Answer p.14

관계부사 when이 쓰인 문장 읽기

우리들은 그날을 기다리고 있다   방학이 시작할

We're looking forward to the day | [when the vacation will start].
선행사   관계부사

- 선행사가 시간(the time, the day, the month, the year 등)을 나타낼 때, 관계부사 when을 쓴다. 「선행사(시간)＋ when＋주어＋동사～」의 구조로 나타나며, '주어가 ～하는[한] 선행사'로 해석한다.

어법   관계부사 when은 「in/at/on＋which」로 바꿔 쓸 수 있다.

🔍 다음 문장에서 선행사에는 밑줄을 긋고, 관계부사절은 [   ]로 표시한 후 문장을 해석하시오.

1   Now is the time when we must say goodbye.

2   March is the month when the new school year begins in Korea.

3   The year 1939 was the year when World War II broke out.

4   The season when many grains become ripe is fall.

5   I still remember the moment when I first saw you.

🔒 **해석의 Key**

관계대명사절과 마찬가지로, 관계부사절의 범위가 어디까지인지 파악하는 것이 중요하다. 그 다음으로는 문장 전체의 주어와 동사를 찾아본다.

어법   다음 괄호 안에서 알맞은 말을 고르고, 문장을 해석하시오.

6   Christmas is the day [when / which] Jesus was born.

7   Seven o'clock is the time [which / at which] I get up.

□ school year 학년
□ break out 발생하다
□ season 계절
□ grain 곡식
□ ripe (과일·곡물이) 익은
□ remember 기억하다
□ moment 순간

Answer p.14

장소는   그들이 처음으로 만났던   로마였다

The place | [where they first met] | was Rome.

선행사   관계부사

- 선행사가 장소(the place, the house, the country, the city 등)를 나타낼 때, 관계부사 where를 쓴다. 「**선행사 (장소)＋where＋주어＋동사~**」의 구조로 나타나며, '**주어가 ~하는[한] 선행사**'로 해석한다.

어법 관계부사 where는 「in/at/on/to＋which」로 바꿔 쓸 수 있다.

🔍 다음 밑줄 친 부분에 유의하여 문장을 해석하시오.

1 The house where Mozart was born is now a museum.

⇨

2 The hotel where we stayed last summer was satisfying.

⇨

3 The library is a place where you can borrow books.

⇨

4 This is the restaurant where I proposed to my wife.

⇨

5 India is a country where people speak different languages.

⇨

어법 다음 괄호 안에서 알맞은 말을 고르고, 문장을 해석하시오.

6 That is the drawer [where / which] I keep my socks.

⇨

7 Seoul is the city [which / in which] my family lives.

⇨

□ **satisfying** 만족스러운
□ **borrow** 빌리다
□ **propose** 청혼하다
□ **India** 인도
□ **different** 여러 가지의, 다른
□ **language** 언어
□ **drawer** 서랍
□ **keep** 보관하다
□ **sock** 양말

A 다음 문장의 네모 안에서 어법상 알맞은 것을 고르시오.

01 The man who laugh / laughs last laughs best. ↻ skill 39

02 Everything that / which happened was my fault. ↻ skill 40

03 The basketball club is the club to that / to which I belong. ↻ skill 42

04 I want a room which / whose view is nice. ↻ skill 43

05 Noon is the time when / where I have lunch at school. ↻ skill 44

B 다음 문장에서 밑줄 친 부분의 쓰임을 보기 에서 골라 기호를 쓰시오. ↻ skill 39, 40, 41, 42, 43

| 보기 | ⓐ 주격 관계대명사 | ⓑ 목적격 관계대명사 | ⓒ 소유격 관계대명사 |

01 Dessert is all that she wants.

02 Are you the person who called earlier?

03 I met a man whose sister was a movie star.

04 The person who I trust most in the world is my mother.

05 That's not the thing that annoyed her.

A laugh 웃다   last 마지막에   happen 일어나다, 발생하다   fault 잘못, 책임   club 클럽, 동호회   belong to ~에 속하다
   view 전망   noon 낮 12시, 정오
B dessert 디저트, 후식   trust 믿다, 신뢰하다   annoy 짜증나게 하다

해석 완성 C 다음 문장에서 관계사절에 밑줄을 긋고, 우리말 해석을 완성하시오.

01 Miners who work underground usually have health problems. ↻ skill 39

_____ 보통 건강에 문제가 있다.

02 This is the shop where I bought my bike. ↻ skill 45

이곳은 _____.

03 A submarine is a ship which can go under the water. ↻ skill 40

잠수함은 _____.

04 He is an artist whose paintings are popular. ↻ skill 43

그는 _____.

어순 배열 D 다음 우리말과 일치하도록 괄호 안의 말을 바르게 배열하시오.

01 내가 어제 전화했던 사람은 나의 삼촌이다.
(yesterday, whom, is, the man, I, called, my uncle) ↻ skill 41

02 이곳은 내가 나의 개를 발견한 곳이다.
(where, is, this, found, the place, I, my dog) ↻ skill 45

03 식목일은 우리가 나무를 심는 날이다.
(the day, Arbor Day, when, is, plant, we, trees) ↻ skill 44

04 나는 모든 사람들이 이야기하고 있는 그 영화를 보고 싶다.
(to see, everybody, want, I, the movie, that, is talking about) ↻ skill 42

C miner 광부 underground 지하에 submarine 잠수함 painting 그림 popular 인기 있는
D Arbor Day 식목일 plant 심다

CHAPTER 09

접속사와 분사구문

문장 내 접속사의 쓰임과 생략

● 접속사의 종류

등위접속사

서로 대등한 것끼리(단어-단어, 구-구, 절-절) 연결하는 접속사로, and, but, or 등이 있다.

상관접속사

두 개 이상의 단어가 짝을 이뤄 쓰이는 접속사로, 「both A and B」, 「not only A but (also) B」 등이 있다.

부사절 접속사

부사절은 「접속사＋주어＋동사~」의 형태로, 주절의 앞이나 뒤에 붙어 시간·조건·이유·양보 등의 의미를 나타낸다. 이러한 부사절을 이끄는 접속사가 부사절 접속사이며, when, if, because, though 등이 있다.

● 분사구문의 개념

부사절에서 「접속사＋주어」를 생략하고 동사를 분사로 변형시켜, 부사절을 줄여 쓴 구문을 말한다. 부사절과 마찬가지로 주절의 앞이나 뒤에 붙어 시간·조건·이유·양보 등의 의미를 나타낸다.

나는   말할 수 있다   영어와 중국어 둘 다

I | can speak | both English and Chinese.

목적어(상관접속사 both A and B를 사용)

- 「both A and B」는 'A와 B 둘 다', 'A하고 (동시에) B한'으로 해석한다.
- A와 B에는 서로 동일한 품사이거나 문법적으로 성격이 같은 것이 온다.

어법 주어로 쓰인 「both A and B」는 항상 복수로 취급하여, 뒤에 복수 동사를 쓴다.

🔍 다음 밑줄 친 부분에 유의하여 문장을 해석하시오.

1 Exercise is helpful for both the body and mind.

⇨

2 The actor was both skillful and diligent.

⇨

3 Your chair looks both comfortable and cozy.

⇨

4 She got good grades in both math and science.

⇨

5 The artist can both write songs and play them on the piano.

⇨

🔒 **해석의 Key**

일단 both가 나오면 뒷부분에 「A and B」가 이어질 것으로 예상하며 문장을 읽어야 한다.

어법 다음 괄호 안에서 알맞은 말을 고르고, 문장을 해석하시오.

6 The movie was both interesting [and / or] impressive.

⇨

7 Both Judy and Sally [was / were] at the concert hall.

⇨

☐ **helpful** 도움이 되는
☐ **mind** 마음, 정신
☐ **skillful** 능숙한
☐ **diligent** 부지런한
☐ **comfortable** 편안한
☐ **cozy** 아늑한
☐ **artist** 예술가
☐ **impressive** 인상적인
☐ **concert hall** 공연장

Answer p.15

「not only A but (also) B」 문장 읽기

Jake는   하다   똑똑할 뿐만 아니라 용감하기도

Jake | is | not only smart but also brave.

보어(상관접속사 not only A but also B를 사용)

- 「not only A but (also) B」(= 「B as well as A」)는 'A 뿐만 아니라 B도'로 해석한다.
- A와 B에는 서로 동일한 품사이거나 문법적으로 성격이 같은 것이 온다.

어법 「not only A but (also) B」(= 「B as well as A」)가 주어 자리에 올 때, 동사의 인칭과 수는 B에 일치시킨다.

🔎 다음 밑줄 친 부분에 유의하여 문장을 해석하시오.

1   His new smartphone is <u>not only</u> slim <u>but also</u> light.

    ⇨

2   He <u>not only</u> spent all his money <u>but</u> borrowed some from me.

    ⇨

3   <u>Not only</u> Tony <u>but also</u> Steve couldn't stand the noise.

    ⇨

4   My son is interested <u>not only</u> in baseball <u>but also</u> in basketball.

    ⇨

5   He has courage <u>as well as</u> knowledge.

    ⇨

어법 다음 괄호 안에서 알맞은 말을 고르고, 문장을 해석하시오.

6   Not only I but also my mom [am / is] fond of tea.

    ⇨

7   Kate as well as her brothers [is / are] good at playing tennis.

    ⇨

🔒 **해석의 Key**

일단 not only가 나오면 뒷부분에 「A but (also) B」가 이어질 것으로 예상하며 문장을 읽어야 한다.

☐ **slim** 얇은, 날씬한
☐ **light** 가벼운
☐ **borrow** 빌리다
☐ **stand** 참다, 견디다
☐ **basketball** 농구
☐ **courage** 용기
☐ **knowledge** 지식
☐ **be fond of** ~를 좋아하다

skill 48 시간의 접속사가 쓰인 문장 읽기

눈이 올 때   나의 강아지는 뛰어다닌다

When it snows, | my puppy jumps around.

접속사 when이 이끄는 부사절   주어   동사

• 시간의 접속사는 주절의 내용이 '언제' 일어나는지를 설명하는 부사절을 이끈다.

when (~할 때)	while (~하는 동안)	as (~할 때, ~하면서)	before (~하기 전에)
after (~한 후에)	until (~할 때까지)	as soon as (~하자마자)	

어법 시간의 부사절에서는 현재시제가 미래를 나타낸다.
She will be there until the game <u>is</u> over.

🔍 다음 문장에서 시간의 접속사에 밑줄을 긋고, 문장을 해석하시오.

🔒 해석의 Key
부사절의 범위
– 접속사가 문장 맨 앞에 나오면 콤마(,) 앞까지
– 접속사가 문장 중간에 나오면 보통 문장 끝까지

1 While we were in Switzerland, we stayed at a traditional house.

    ↳

2 She listened to the music as she did the housework.

    ↳

3 As soon as I arrived in Rome, I bought a map of the city.

    ↳

4 After I traveled for a month, I began to feel homesick.

    ↳

어법 다음 괄호 안에서 알맞은 말을 고르고, 문장을 해석하시오.

5 She won't know the news until I [tell / will tell] her.

    ↳

6 I will drop by your office when I [finish / will finish] my work.

    ↳

☐ **Switzerland** 스위스
☐ **traditional** 전통적인
☐ **housework** 집안일
☐ **Rome** 로마
☐ **map** 지도
☐ **homesick** 향수병의(고향을 그리워하는)
☐ **drop by** ~에 들르다
☐ **finish** 끝내다

조건의 접속사가 쓰인 문장 읽기

만약 네가 여행을 계획한다면   나는 너와 함께 갈 거야

If you plan the trip, | I will go with you.

접속사 if가 이끄는 부사절   주어   동사

• 조건의 접속사는 '실현 가능한 조건'을 나타내는 부사절을 이끈다.

if (만약 ~한다면[라면])	unless (만약 ~하지 않으면[아니라면]) = if … not

어법 조건의 부사절에서도 현재시제가 미래를 나타낸다.
If the weather is fine this afternoon, we'll eat outdoors.

🔍 다음 밑줄 친 부분에 유의하여 문장을 해석하시오.

1 If you work late tomorrow, we can meet another day.

➯

2 Click "No" if you don't want to delete the page.

➯

3 Unless you practice hard, you will regret it later.

➯

4 Unless the movie is too scary, I will see it.

➯

어법 다음 괄호 안에서 알맞은 말을 고르고, 문장을 해석하시오.

5 If Jessie [comes / will come] in 10 minutes, we can leave on time.

➯

6 If you [don't buy / won't buy] a ticket, you cannot go to the concert.

➯

□ another 다른, 또 하나
□ click (마우스를) 클릭하다
□ delete 삭제하다
□ practice 연습하다
□ regret 후회하다
□ later 나중에
□ scary 무서운
□ on time 정각에

Answer p.16

나는 목말랐기 때문에   많은 양의 물을 마셨다

Because I was thirsty, | I drank a lot of water.

접속사 because가 이끄는 부사절   주어   동사

- 이유의 접속사는 주절 내용의 '이유 · 원인'을 설명하는 부사절을 이끈다.

> **because, as, since (~이기 때문에, ~해서, ~하므로)**

어법 because 뒤에는 '주어 + 동사'가 오고, because of 뒤에는 '명사(구)'가 온다.
Because it rained heavily, I couldn't go out. / Because of heavy rain, I couldn't go out.

🔍 다음 문장에서 이유의 부사절에 밑줄을 긋고, 문장을 해석하시오.

1 Since you cooked dinner, I will do the dishes tonight.

2 As it was hot, I turned on the air conditioner.

🔒 **해석의 Key**

as는 시간의 접속사로 쓰여 '~할 때, ~하면서'로 해석되기도 하므로, 문맥을 통해 의미를 판단해야 한다.

3 Because the test was difficult, I couldn't get the license.

4 As she reached her goal, she was satisfied.

어법 다음 괄호 안에서 알맞은 말을 고르고, 문장을 해석하시오.

5 I was very tired [because / because of] hard work.

□ **turn on** ~을 켜다
□ **air conditioner** 에어컨
□ **difficult** 어려운
□ **license** 자격증
□ **reach** 달성하다, 도달하다
□ **goal** 목표
□ **satisfied** 만족한
□ **miss** 놓치다, 그리워하다

6 I couldn't arrive on time [because / because of] I missed the bus.

양보의 접속사가 쓰인 문장 읽기

비록 우리는 물고기를 한 마리도 잡지 못했지만   아주 즐거운 시간을 보냈다

Though we couldn't catch any fish, | we had a great time.

접속사 though가 이끄는 부사절   주어   동사

- 양보의 접속사는 주절의 내용과 '대조'되는 내용을 나타내는 부사절을 이끈다.

> **although, though, even though (비록 ~이지만[일지라도])**

[어법] 두 개의 절이 의미상 서로 어떤 관계에 있는지를 파악한 후, 절과 절을 자연스럽게 연결해 줄 접속사를 고른다.

🔍 다음 밑줄 친 부분에 유의하여 문장을 해석하시오.

1 Although I annoyed Ann, she was kind to me.

↳

2 Even though we may fail, it is worth the challenge.

↳

3 Though he was shy, he talked to her first.

↳

4 Although we are apart, you are still in my heart.

↳

5 He managed to paint his last work even though he was weak.

↳

[어법] 다음 괄호 안에서 알맞은 말을 고르고, 문장을 해석하시오.

6 I don't eat pizza [because / though] I like Italian food.

↳

7 Tomorrow it will be nice [because / although] it is a little cold.

↳

- □ **annoy** 성가시게 굴다, 짜증나게 하다
- □ **fail** 실패하다
- □ **worth** ~할 만한 가치가 있는
- □ **challenge** 도전
- □ **shy** 수줍은
- □ **apart** 떨어져 있는
- □ **manage to-v** 간신히 ~해내다
- □ **work** (예술 등의) 작품
- □ **weak** 약한

Answer p.16

돈이 없어서   나는 그 책을 살 수 없다

Having no money, | I can't buy the book.

분사구문   주어   동사

- 부사절의 접속사와 주어를 생략하고, 동사를 현재분사(v-ing)로 변형시키면 분사구문이 된다. 따라서 현재분사로 시작하는 어구가 주절의 앞이나 뒤에 오면 이를 분사구문으로 이해한다.
- 분사구문은 보통 주절 내용이 일어난 '시간'이나 '이유'를 나타내며, 주절의 주어가 분사구문의 동작을 직접 하는 것으로 해석한다.

어법 부사절을 분사구문으로 만드는 법: ① 접속사를 지운다. ② 부사절의 주어가 주절의 주어와 같으면, 부사절의 주어를 지운다. ③ 동사를 현재분사(v-ing)로 바꾼다.
As I felt tired, I went to bed early. → Feeling tired, I went to bed early.

🔍 다음 밑줄 친 분사구문에 유의하여 문장을 해석하시오. (단, 분사구문은 '~해서[하므로]'로 해석)

1 <u>Liking the long skirt</u>, she decided to buy it.

↪ _____

2 <u>Being sick</u>, Mike didn't take part in the soccer game.

↪ _____

3 <u>Losing my credit card</u>, I need to order a new one.

↪ _____

4 <u>Arriving late at the theater</u>, we couldn't see the opera.

↪ _____

어법 다음 괄호 안에서 알맞은 말을 고르고, 문장을 해석하시오.

5 [Get / Getting] very upset, she didn't say anything.

↪ _____

6 [Be / Being] busy, I don't have time to rest for a week.

↪ _____

□ **decide** 결정하다
□ **take part in** ~에 참가하다
□ **credit card** 신용카드
□ **order** 주문하다
□ **theater** 극장
□ **rest** 쉬다

Answer p.16

skill 53 분사구문이 쓰인 문장 읽기 (1)

밝게 웃으면서   그는 나와 악수했다

Smiling brightly, | he shook my hand.
분사구문   주어   동사

- 분사구문은 주절과 동시에 이루어진 동작이나 상황을 나타낼 수 있다. 이때 분사구문은 '~하면서[한 채로]'로 해석한다.

어법 분사구문의 부정형은 분사 앞에 not이나 never를 써서 나타낸다.

🔍 다음 밑줄 친 부분에 유의하여 문장을 해석하시오.

1 <u>Walking on tiptoes</u>, he entered his room.

2 <u>Saying goodbye</u>, Luke got on the bus.

3 <u>Listening to the radio</u>, she was washing the dishes.

4 They danced around the campfire, <u>singing together</u>.

5 He walked along the river, <u>whistling cheerfully</u>.

어법 다음 괄호 안에서 알맞은 말을 고르고, 문장을 해석하시오.

6 I continued to cry, [making not / not making] a single sound.

7 She lay on the bed, [taking not off / not taking off] her shoes.

□ tiptoe 발끝
□ get on ~에 타다
□ campfire 모닥불
□ whistle 휘파람을 불다
□ cheerfully 기분 좋게, 쾌활하게
□ continue 계속하다
□ cry 울다
□ single 단 하나의
□ lie 눕다(-lay)
□ take off ~을 벗다

Answer p.16

농구를 하는 동안에   Ted는 다리를 다쳤다

Playing basketball, | Ted hurt his leg.

분사구문   주어   동사

• 분사구문은 동시 동작 · 상황 외에도, 다음과 같은 의미를 나타낼 수도 있다.

시간: '~할 때', '~하고 나서', '~하는 동안'	이유: '~하기 때문에', '~하므로[해서]'

어법 분사구문의 의미를 분명히 나타내기 위해 접속사를 분사 앞에 남겨 둘 수도 있다.

🔍 다음 밑줄 친 부분에 유의하여 문장을 해석하시오.

1 <u>Finishing his work</u>, Paul left his office.

⇨

2 <u>Knowing a lot about computers</u>, she was able to fix her own.

⇨

3 I could see the entire city, <u>reaching the top of the mountain</u>.

⇨

4 <u>Having too much work to do</u>, he couldn't sleep at all.

⇨

5 You should be careful <u>when using this tool</u>.

⇨

🔒 **해석의 Key**

분사구문의 의미를 파악하기 위해, 분사구문을 주절과 의미상 가장 자연스럽게 연결해 주는 접속사를 추측해본다.

어법 다음 괄호 안에서 알맞은 말을 고르고, 문장을 해석하시오.

6 [After / Though] paying the bill, you should get a receipt.

⇨

7 [As / Although] walking a long distance, he had sore feet.

⇨

□ **fix** 수리하다
□ **own** 자기 것
□ **entire** 전체의
□ **tool** 도구
□ **pay** 지불하다
□ **bill** 계산서
□ **receipt** 영수증
□ **distance** 거리
□ **sore foot** 아픈 발

A 다음 문장의 네모 안에서 어법상 알맞은 것을 고르시오.

01   Not only James but also / and also Tim couldn't play the guitar.   ↻ skill 47

02   You will miss the bus if / unless you walk more quickly.   ↻ skill 49

03   I was absent yesterday because / because of I was sick.   ↻ skill 50

04   Be / Being bored, she gave a great yawn.   ↻ skill 52

05   My family was very poor when / as soon as I was young.   ↻ skill 48

B 다음 빈칸에 알맞은 말을 보기 에서 골라 기호를 쓰시오. (한 번씩만 쓸 것)   ↻ skill 48, 49, 50, 51

| 보기 | ⓐ Before | ⓑ Because | ⓒ Though | ⓓ While | ⓔ If |

01   _____ he is short, he can jump high.

02   _____ you turn to the right, you will find the building.

03   _____ I didn't know his phone number, I couldn't call him.

04   _____ Mary was sleeping, she kept the light on in her room.

05   _____ the guests arrive, you need to clean up your house.

A absent 결석한 bored 지루한 yawn 하품
B find 발견하다 building 건물 guest 손님

해석
완성 **C** 다음 밑줄 친 부분에 유의하여 우리말 해석을 완성하시오.

01 <u>Living overseas</u>, I always missed my country. ↻ skill 54

> 나는 _____ .

02 He sang a song, <u>taking a shower</u>. ↻ skill 53

> 그는 _____ .

03 <u>Both Kate and Alice</u> have blond hair. ↻ skill 46

> _____ 가지고 있다.

04 This fish provides calcium <u>as well as vitamins</u>. ↻ skill 47

> 이 생선은 _____ .

어순
배열 **D** 다음 우리말과 일치하도록 괄호 안의 말을 바르게 배열하시오. (단, 부사절이나 분사구문은 문장 맨 앞에 쓸 것)

01 그녀는 열심히 연습했기 때문에 경기에서 이겼다.
(won the game, since, she, practiced hard, she) ↻ skill 50

>

02 손을 흔들면서, 그녀는 차에 탔다. (waving, she, got, her hand, in the car) ↻ skill 53

>

03 비록 내가 많은 책을 읽었을지라도, 내가 모든 것을 아는 것은 아니다.
(I, many books, though, I, everything, don't know, read) ↻ skill 51

>

04 더 이상 말하고 싶지 않다면, 너는 교실 밖으로 나가도 좋다.
(say more, may go, unless, you want to, you, out of the classroom) ↻ skill 49

>

C overseas 해외에 country 나라, 국가 blond 금발의 provide 제공하다 calcium 칼슘
D wave 흔들다 get in ~에 타다

CHAPTER

10

비교구문
문장에서의 정도 표현

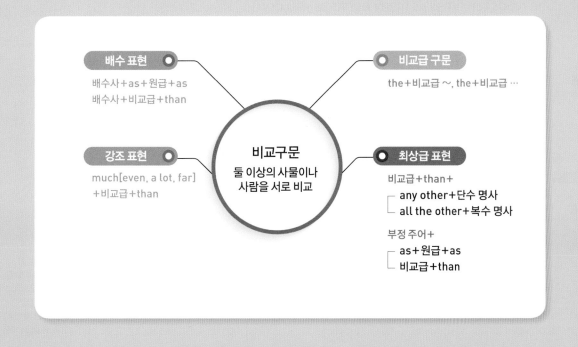

배수 표현

배수사+as+원급+as
배수사+비교급+than

비교급 구문

the+비교급 ~, the+비교급 …

강조 표현

much[even, a lot, far]
+비교급+than

비교구문
둘 이상의 사물이나
사람을 서로 비교

최상급 표현

비교급+than+
┌ any other+단수 명사
└ all the other+복수 명사

부정 주어+
┌ as+원급+as
└ 비교급+than

원급으로 배수를 표현한 문장 읽기

그들의 집은 거의 세 배만큼 크다   우리 것(= 우리 집)보다

Their house is almost three times as big | as ours.

배수사＋as＋원급＋as   = our house

- 「배수사＋as＋원급＋as」는 '~보다 몇 배만큼 …한[하게]'로 해석한다.

어법 대등한 성질이나 상태를 비교하는 것이므로, 비교되는 두 대상은 격이 같아야 한다.
   Your salary is twice as high as mine. (= my salary)
                                     me(x)

🔍 다음 밑줄 친 부분에 유의하여 문장을 해석하시오.

1   My luggage is about four times as heavy as hers.

   ⤷

2   The shopping mall was twice as crowded as usual.

   ⤷

3   Mars is half as big as Earth.

   ⤷

🔒 **해석의 Key**
half는 '~의 반'을 의미한다.

4   She reads ten times as many books as you do.

   ⤷

5   They finished the work twice as quickly as I expected.

   ⤷

어법 다음 괄호 안에서 알맞은 말을 고르고, 문장을 해석하시오.

6   His bike is five times as expensive as [you / yours].

   ⤷

7   My grandma is twice as old as [my mom / my mom's].

   ⤷

□ luggage 짐
□ crowded 붐비는, 복잡한
□ usual 평소의, 보통의
□ Mars 화성
□ expect 예상하다
□ expensive 비싼

Answer p.17

비교급으로 배수를 표현한 문장 읽기

태양은 400,000배 더 밝다   달보다

The sun is 400,000 times brighter │ than the moon.

배수사 + 비교급 + than

- 「배수사 + 비교급 + than」은 '~보다 몇 배 더 …한[하게]'로 해석한다.

어법 「배수사 + 비교급 + than」의 표현은 원급이 아니라 비교급을 써야 하는 것에 유의한다.
His room is five times bigger than my room.
                              big(x)

🔍 다음 밑줄 친 부분에 유의하여 문장을 해석하시오.

1 The chimpanzee lives four times longer than the dog.

↪

2 He has ten times more money than I have.

↪

3 This waiting line is three times longer than the other one.

↪

4 The hotel was 100 times nicer than the photos online.

↪

5 Black holes are 10 billion times larger than the sun.

↪

🔒 **해석의 Key**
billion은 십억을 뜻하며,
10 billion은 백억을 뜻한다.

어법 다음 괄호 안에서 알맞은 말을 고르고, 문장을 해석하시오.

6 The noise was five times [loud / louder] than usual.

↪

7 I scored three times [many / more] goals than you did.

↪

□ **bright** 밝은
□ **chimpanzee** 침팬지
□ **waiting** 대기, 기다림
□ **billion** 십억
□ **loud** (소리가) 큰
□ **score a goal** 골을 넣다

Answer p.17

이 파이는 훨씬 더 크다   다른 것(파이)들보다
The pie is <u>much bigger</u> | than the others.
비교급 강조

- much, even, far, a lot 등이 비교급 앞에서 **비교급을 강조**하면, '**훨씬**'이라는 뜻으로 해석한다.

어법 very는 원급을 강조하는 단어이며 비교급은 강조할 수 없다.
Today is <u>much[even/far/a lot]</u> hotter than yesterday.
        very(X)

🔍 다음 밑줄 친 부분에 유의하여 문장을 해석하시오.

1 Buying things online is <u>much cheaper than</u> buying them at a store.

2 The novel was <u>even more interesting than</u> the film.

3 The water in the pool was <u>far deeper than</u> I expected.

4 My brother is <u>a little taller</u> than me.

5 The sales in August were <u>much higher than</u> the sales in July.

어법 다음 괄호 안에서 알맞은 말을 고르고, 문장을 해석하시오.

6 The black skirt is [very / a lot] longer than the white one.

7 Walking is [very / much] healthier than taking a car.

🔒 **해석의 Key**

「a little[slightly, a bit]
+ 비교급」은 '조금 더 ~한
[하게]'로 해석한다.

□ novel 소설
□ film 영화
□ sales 판매량
□ August 8월
□ July 7월
□ healthy 건강에 좋은

skill 58 「the + 비교급 ~, the + 비교급 …」 문장 읽기

너는 더 열심히 일할수록   더 좋은 결과를 얻을 것이다

The harder you work, | the better results you'll get.

the + 비교급   주어 + 동사   the + 비교급   주어 + 동사

- 「the + 비교급(+주어 + 동사), the + 비교급(+주어 + 동사)」는 '더 ~할수록 더 …하다'로 해석한다.
- 어법 「the + 비교급」이 명사를 꾸미는 경우, 꾸밈을 받는 명사는 비교급 바로 뒤에 쓴다.
  The more friends you have, the happier you are.

🔍 다음 밑줄 친 부분에 유의하여 문장을 해석하시오.

1 The older we grow, the wiser we become.

>

2 The higher you climb, the colder it gets.

>

3 The more electricity we use, the higher our bill will be.

>

4 The more I learn, the more I realize how much I don't know.

>

🔑 **해석의 Key**

become, get, turn, grow 는 변화를 나타내는 동사로 '~이 되다', '~해지다'로 해석한다.

어법 다음 괄호 안에서 알맞은 말을 고르고, 문장을 해석하시오.

5 The harder you work, [the more money you'll earn / the money you'll earn more].

>

6 The more trees we plant, [the air we breathe better / the better air we breathe].

>

- wise 현명한, 지혜로운
- climb 오르다, 올라가다
- electricity 전기
- bill 고지서, 청구서
- realize 깨닫다
- earn (돈을) 벌다
- breathe 숨을 쉬다

Answer p.18

105

비교급으로 최상급을 표현한 문장 읽기

건강은 더 귀중하다　　　　　　　다른 어떤 것보다　　　　인생에서
Health is more valuable | than any other thing | in life.
비교급+than+any other+단수 명사

- 「비교급+than+any other+단수 명사」와 「비교급+than+all the other+복수 명사」는 '다른 어떤 ~ 보다 더 …한 [하게]'로 해석한다.

어법 Karen is more hardworking than any other student in the class.
= Karen is more hardworking than all the other students in the class.
= Karen is the most hardworking student in the class.

🔍 다음 밑줄 친 부분에 유의하여 문장을 해석하시오.

1 Time is more precious than any other thing.

2 Peter runs faster than all the other boys in his class.

3 The cobra is more poisonous than any other snake.

4 The Nile is longer than any other river in the world.

5 I think baseball is more exciting than all the other sports.

어법 다음 괄호 안에서 알맞은 말을 고르고, 문장을 해석하시오.

6 Today is [colder / coldest] than any other day of the year.

7 This temple is [older / oldest] than all the other temples in Korea.

🔒 **해석의 Key**

최상급을 나타내는 표현 다음에 'in[of] + 명사'로 비교 집단을 나타내면 '~에서, ~의'로 해석한다.

□ **precious** 귀중한
□ **cobra** 코브라
□ **poisonous** 독이 있는
□ **temple** 절

Answer p.18

부정 주어로 최상급을 표현한 문장 읽기

다른 어떤 금속도 단단하지 않다   다이아몬드만큼

No other metal **is as hard** | **as** diamond.

부정 주어 ~ as + 원급 + as

- 「부정 주어 ~ as[so] + 원급 + as」는 '어떤 ~도 – 만큼 …하지 않다'로 해석한다.
- 「부정 주어 ~ 비교급 + than」은 '어떤 ~도 – 보다 …하지 않다'로 해석한다.

어법. No other boy in my class is as tall as Kevin.
= No other boy in my class is taller than Kevin.
= Kevin is the tallest boy in my class.

🔍 다음 밑줄 친 부분에 유의하여 문장을 해석하시오.

1 No place is better than home.

2 No other lake in the world is as deep as Lake Baikal.

3 No other subject is as difficult as math to me.

4 Nothing in friendship is more important than trust.

5 No planet in the solar system is larger than Jupiter.

어법. 다음 괄호 안에서 알맞은 말을 고르고, 문장을 해석하시오.

6 Nothing is more powerful [as / than] love.

7 No other city in Korea is as crowded [as / than] Seoul.

□ subject 과목
□ friendship 우정
□ trust 신뢰
□ planet 행성
□ solar system 태양계
□ Jupiter 목성
□ powerful 강력한

네모어법 A 다음 문장의 네모 안에서 어법상 알맞은 것을 고르시오.

01 He works twice as hard / harder as others. ↻ skill 55

02 His phone is three times more expensive than me / mine . ↻ skill 56

03 Today is very / much hotter than yesterday. ↻ skill 57

04 The higher you fly, the hard / harder you fall. ↻ skill 58

05 Nothing / Anything is as important as passion. ↻ skill 60

보기선택 B [01-05] 다음 문장에서 밑줄 친 부분의 쓰임을 보기 에서 골라 기호를 쓰시오. ↻ skill 57

보기	ⓐ 원급 강조	ⓑ 비교급 강조

01 Direction is <u>much</u> more important than speed.

02 The situation is <u>even</u> worse than we imagined.

03 Cinderella was <u>a lot</u> prettier than her sisters.

04 Swimming is a <u>very</u> fun and easy way to lose weight.

05 The singer's second album sold <u>far</u> more than his first album.

A fall 떨어지다   passion 열정
B direction 방향   situation 상황   imagine 상상하다   lose weight 살을 빼다   sell 팔리다

[06-10] 다음 문장의 의미를 보기 에서 골라 기호를 쓰시오.   ⌒ skill 55, 56, 57, 59, 60

보기   ⓐ 비교급의 의미   ⓑ 최상급의 의미

06 Muscle weighs twice as much as fat.

07 August is hotter than any other month of the year.

08 This place is ten times better than I expected.

09 No other virtue is as valuable as self-confidence.

10 She looked a lot more disappointed than her husband.

해석 완성 **C** 다음 밑줄 친 부분에 유의하여 우리말 해석을 완성하시오.

01 The project made him <u>three times busier than</u> he usually is.   ⌒ skill 56

그 프로젝트는 그를 _____ 만들었다.

02 The situation is <u>even more hopeless than</u> I thought.   ⌒ skill 57

상황은 내가 생각했던 것보다 _____.

03 <u>The more</u> you laugh, <u>the longer</u> you live.   ⌒ skill 58

당신이 _____.

04 Chris danced <u>better than all the other dancers</u> in the contest.   ⌒ skill 59

Chris는 경연대회에서 _____.

05 <u>No other boy</u> in the class <u>is as intelligent as</u> Brian.   ⌒ skill 60

그 학급의 _____.

B   muscle 근육   weigh 무게가 …이다   fat 지방   virtue 덕목   self-confidence 자신감   disappointed 실망한
C   hopeless 가망 없는, 절망적인   intelligent 총명한, 똑똑한

D 다음 우리말과 일치하도록 괄호 안의 말을 바르게 배열하시오.

01 기말고사는 중간고사보다 세 배만큼 어려웠다.
(as, as, was, difficult, three times, the mid-term exam, the final exam)   ↻ skill 55

02 시골은 도시보다 훨씬 더 평화롭다.
(than, more, peaceful, the country, much, is, the city)   ↻ skill 57

03 너는 공부를 더 열심히 할수록, 더 좋은 점수를 받게 될 것이다.
(the better, you, study, grades, the harder, you, will get)   ↻ skill 58

04 이 이야기는 그 책의 다른 어떤 이야기보다 더 재미있다.
(more, than, interesting, this story, is, any other story, in the book)   ↻ skill 59

05 다른 어떤 산도 에베레스트 산보다 더 높지 않다.
(no other, Mt. Everest, is, than, mountain, higher)   ↻ skill 60

D mid-term 중간의   peaceful 평화로운   country 시골   grade 점수

WORKBOOK

단어 Review

○ 월 ○ 일 | 맞은 개수 : ○ /40

Answer p.20

A 다음 영어를 우리말로 쓰시오.

01	garden		11	striped
02	plain		12	almost
03	bottle		13	cousin
04	bruised		14	practice
05	improve		15	activity
06	by oneself		16	abroad
07	regularly		17	affect
08	clear		18	certain
09	impossible		19	ballpark
10	furniture		20	concentration

B 다음 우리말을 영어로 쓰시오.

01	고치다		11	꾸짖다
02	섬		12	소문
03	의무		13	무례한
04	필요한		14	부주의한
05	교통 신호		15	선택
06	전체의		16	언어
07	이상한		17	훔치다
08	낮잠을 자다		18	의견
09	준비하다		19	선호하다
10	충고, 조언		20	절약하다

주어

개념 Review

Answer p.20

A 맞는 설명에는 ○, 틀린 설명에는 ×를 하시오.

01　주어 one과 the other 뒤에는 각각 단수 동사가 온다.　[　　]

02　주어로 쓰인 that절은 단수 취급한다.　[　　]

03　"It is safe to eat this mushroom."에서 It은 '그것'이라고 해석한다.　[　　]

04　주어 "Most of his money" 뒤에는 복수 동사가 온다.　[　　]

05　that절이 주어일 때, 흔히 It을 주어 자리에 쓰고 that절은 문장 뒤에 쓴다.　[　　]

B 다음 문장의 네모 안에서 어법상 알맞은 것을 고르시오.

01　I have two pets. One is a puppy, and other / the other is a rabbit.

02　 Drive / Driving too fast on a rainy day is dangerous.

03　That I can help people makes / make me proud.

04　It was wise for / of her to fasten her seat belt.

05　All of this money are / is yours.

C 다음 밑줄 친 부분을 바르게 고치시오.

01　This is helpful to read this book.

02　Playing hide-and-seek are interesting.

03　It is not true what he was a genius.

04　It is impossible for her reach the goal.

05　I bought a lot of apples. Some are red, and the other are green.

해석 Practice ①

🔍 다음 밑줄 친 부분에 유의하여 문장을 해석하시오.

01 <u>Some</u> are pigs, and <u>the others</u> are cows. skill 01

⇨

02 There are four pens in my pencil case. <u>One</u> is black, and <u>the others</u> are blue. skill 01

⇨

03 <u>Some</u> wanted hot coffee, and <u>others</u> wanted cold coffee. skill 01

⇨

04 <u>Most of them</u> hoped to see her paintings. skill 02

⇨

05 <u>All of my classmates</u> entered the contest. skill 02

⇨

06 <u>One of my parents</u> should attend the meeting. skill 02

⇨

07 <u>Most of his advice</u> is useful for us. skill 02

⇨

08 <u>Some</u> tasted wonderful, but <u>the others</u> did not. skill 01

⇨

09 I have two aunts. <u>One</u> is here, and <u>the other</u> is in London. skill 01

⇨

10 <u>Some of the players</u> broke the rules of the game. skill 02

⇨

Answer p.20

11 All of the hotel rooms are large and clean.   *skill 02*

12 Some of the butter melted in the box.   *skill 02*

13 One is mine, and the other is Jenny's.   *skill 01*

14 One of my sisters won the online game contest.   *skill 02*

15 Most of the people expected his next magic show.   *skill 02*

16 Some of my classmates passed the test, but the others failed.   *skill 02*

17 One agreed with him, but the others did not.   *skill 01*

18 All of my money was in my purse.   *skill 02*

19 Most of his words were true.   *skill 02*

20 Jake has many toys. Some are robots, and others are mini cars.   *skill 01*

주어

해석 Practice ②

🔍 다음 문장에서 주어에 밑줄을 긋고, 문장을 해석하시오.

01 To save the earth is important.   skill 03

02 To make a shopping list is useful.   skill 03

03 Driving along the lake is very nice.   skill 03

04 Running in a marathon is very difficult.   skill 03

05 That he left the company surprised me.   skill 04

06 That time is money is an old proverb.   skill 04

07 To practice yoga is good for your mind and body.   skill 03

08 To plan a schedule every day is a good habit.   skill 03

09 Exploring new places is very exciting.   skill 03

10 Eating regular meals is good for your health.   skill 03

Workbook

Answer p.20

11 That the fire destroyed the town was shocking.   skill 04

12 That Ted broke the window was certain.   skill 04

13 Sharing information with your neighbors is important.   skill 03

14 To make a kite is not difficult.   skill 03

15 Building a new airport costs a lot of money.   skill 03

16 Teaching Korean to foreigners is my job.   skill 03

17 That she worked as a fashion model is interesting.   skill 04

18 That Lucy sent me this box is not true.   skill 04

19 To enter an empty house alone is dangerous.   skill 03

20 Seeing a soccer game at a stadium is fun.   skill 03

해석 Practice ③

🔍 다음 밑줄 친 부분에 유의하여 문장을 해석하시오.

01 It is simple to ride the subway in Seoul.   skill 05

⇨

02 It is difficult to reach my goal.   skill 05

⇨

03 It is important to eat fresh vegetables.   skill 05

⇨

04 It is impossible for me to arrive there on time.   skill 06

⇨

05 It was careless of her to do so.   skill 06

⇨

06 It was difficult for Sarah to talk to Paul at first.   skill 06

⇨

07 It is dangerous for young kids to travel alone.   skill 06

⇨

08 It was foolish of me to make the same mistake.   skill 06

⇨

09 It is clear that he will win the election.   skill 07

⇨

10 It was not true that he was in the hospital.   skill 07

⇨

 월 ◯ 일 | 맞은 개수: ◯ / 20

skill 05 「It ~ to부정사」 문장 읽기
skill 06 「for+목적어+to부정사」 문장 읽기
skill 07 「It ~ that절」 문장 읽기

 Answer p.21

Workbook

11 It is true that the earth turns around the sun.   skill 07

12 It is smart of her to remember all the numbers.   skill 06

13 It is impossible for Sue to swim across the river.   skill 06

14 It is wonderful to have a true friend.   skill 05

15 It was rude of you to make her wait so long.   skill 06

16 It is necessary to explain the story in detail.   skill 05

17 It wasn't easy for Luke to make a speech in front of people.   skill 06

18 It is important that children learn etiquette at home.   skill 07

19 It was wise of you to stay at home last weekend.   skill 06

20 It is a rumor that her husband is a wealthy businessman.   skill 07

단어 Review

Answer p.21

A 다음 영어를 우리말로 쓰시오.

01	give up		11	injury	
02	chase		12	get off	
03	agree		13	decide	
04	avoid		14	vote for	
05	plan		15	knowledge	
06	memorize		16	ambulance	
07	lend		17	debate	
08	final game		18	education	
09	drop		19	passport	
10	pick up		20	drawer	

B 다음 우리말을 영어로 쓰시오.

01	해결하다		11	대회	
02	상사, 사장		12	기대하다, 예상하다	
03	고래		13	상, 상품	
04	설명하다		14	선택하다	
05	다양한, 다른		15	~를 돌보다	
06	젖은, 축축한		16	곤경에 처한	
07	둥근		17	꺼리다, 신경 쓰다	
08	신뢰하다		18	지갑	
09	종류		19	시계	
10	유명한		20	계속하다	

목적어

개념 Review

Answer p.21

A 맞는 설명에는 ○, 틀린 설명에는 ×를 하시오.

01 동명사가 목적어 자리에 오면 '~하는 것을', '~하기를'이라고 해석한다. [   ]

02 접속사 that이 이끄는 절이 목적어 자리에 오면, 접속사 that은 생략할 수 있다. [   ]

03 동사 forget의 목적어로 to부정사가 오든 동명사가 오든 의미는 같다. [   ]

04 to부정사 앞에 의문사 why는 올 수 없다. [   ]

05 동사 enjoy의 목적어 자리에 to부정사가 올 수 있다. [   ]

B 다음 문장의 네모 안에서 어법상 알맞은 것을 고르시오.

01 Avoid walking / to walk alone at night.

02 He wants to know why / when to start his speech.

03 Don't forget turning / to turn off the computer.

04 Mom believes that / this our cat will come back home someday.

05 Janet told me where eating / to eat dinner tomorrow.

C 다음 밑줄 친 부분을 바르게 고치시오.

01 I stopped to worry about my future.

02 I tried finishing my homework by noon.

03 He decided being a professional actor.

04 My teacher said if we should listen to him.

05 Mark knew how solve the math problem.

목적어

해석 Practice ①

🔍 다음 문장에서 목적어에 밑줄을 긋고, 문장을 해석하시오.

01 People began to complain about the company.
skill 08

⇨

02 Mary enjoyed playing water sports.
skill 08

⇨

03 I agreed to go there with him.
skill 08

⇨

04 The baby continued to cry until his mother came.
skill 08

⇨

05 She planned to travel all around the world by 70.
skill 08

⇨

06 They wanted to take a picture of the mountain.
skill 08

⇨

07 My sister likes to take a walk in her free time.
skill 08

⇨

08 Tony gave up wearing a pink shirt to the party.
skill 08

⇨

09 Kate expected to meet the idol star at the event.
skill 08

⇨

10 Would you mind sharing the table with me?
skill 08

⇨

Answer p.21

11 Did you finish studying for the English exam?   skill 08

↪

12 I hate to wear this heavy jacket.   skill 08

↪

13 I remember putting some money in my pocket.   skill 09

↪

14 I remember to take my new suitcase when I leave for Busan.   skill 09

↪

15 Allen tried to speak Korean well.   skill 09

↪

16 I tried phoning his home number.   skill 09

↪

17 She stopped buying fresh foods online.   skill 09

↪

18 Mike stopped to talk to the lady at the bus stop.   skill 09

↪

19 Nancy forgot to lock the garage door.   skill 09

↪

20 Jack forgot putting his key on the desk.   skill 09

↪

해석 Practice ②

🔍 다음 문장에서 목적어에 밑줄을 긋고, 문장을 해석하시오.

01 I know that spiders are not insects. *skill 11*

↪

02 He taught me how to cook Mexican food. *skill 10*

↪

03 I chose where to spend this summer vacation. *skill 10*

↪

04 She told me when to return the books. *skill 10*

↪

05 My parents believed that I always did my best. *skill 11*

↪

06 David didn't decide whom to invite. *skill 10*

↪

07 We expected he would win first prize. *skill 11*

↪

08 I don't know what to buy for his birthday present. *skill 10*

↪

09 The farmer told us when to use the tool. *skill 10*

↪

10 I asked an old lady which bus to take. *skill 10*

↪

Answer p.22

Workbook

11 He showed me which seat to sit in.   skill 10

12 Many people think that health is more important than money.   skill 11

13 Sally hoped that she would walk on her two feet someday.   skill 11

14 I'm still thinking what to buy for my mom.   skill 10

15 I don't know who to dance with at the party.   skill 10

16 He explained to me that I should leave right away.   skill 11

17 Could you teach us how to play this board game?   skill 10

18 She showed him where to write his name on the papers.   skill 10

19 The doctor said that I should take a rest at home.   skill 11

20 I can understand everyone has his own lifestyle.   skill 11

단어 Review

Answer p.22

A 다음 영어를 우리말로 쓰시오.

01	complain		11	mission	
02	original		12	keep -ing	
03	seem		13	passenger	
04	march		14	audience	
05	performance		15	principal	
06	appearance		16	give ~ a ride	
07	stare at		17	for a long time	
08	doze off		18	secretary	
09	advertisement		19	drunk driving	
10	British		20	lesson	

B 다음 우리말을 영어로 쓰시오.

01	목표		11	긍정적인	
02	봉사하다		12	마지막의, 최종의	
03	군인		13	갑작스러운	
04	그만두다		14	(심장이) 뛰다	
05	땅바닥, 지면		15	소파	
06	대나무		16	줄을 서다	
07	(불에) 타다		17	운전면허증	
08	차고		18	존중하다	
09	주요한		19	벌금을 내다	
10	눈물		20	뺨	

개념 Review

Answer p.23

A 맞는 설명에는 ○, 틀린 설명에는 ×를 하시오.

01 동명사의 부정형은 동명사 앞에 not을 쓴다.　　　　　　　　　　　　[　　]

02 지각동사는 to부정사를 목적격 보어로 쓴다.　　　　　　　　　　　　[　　]

03 want, ask, tell 등의 동사는 동사원형을 목적격 보어로 쓴다.　　　　　[　　]

04 동명사나 to부정사가 주격 보어로 쓰이면, '~하는 것[하기]'로 해석한다.　[　　]

05 감정을 나타내는 현재분사가 주격 보어로 쓰이면, '~한 (감정을 느끼는)'으로 해석한다. [　　]

B 다음 문장의 네모 안에서 어법상 알맞은 것을 고르시오.

01 My job is deliver / to deliver the mail door to door.

02 The best thing for your health is not smoking / smoking not .

03 The soccer match last night was very exciting / excited .

04 Sally was very embarrassing / embarrassed when she fell to the ground.

05 The police officer asked me show / to show him my driver's license.

C 다음 밑줄 친 부분을 바르게 고치시오.

01 His hobby is reading and collect comic books.

02 A true artist is never satisfy with his work.

03 I felt someone to pull me by the sleeves.

04 The bad weather made us to cancel our picnic plans again.

05 The doctor told me to not eat anything for 12 hours before the surgery.

해석 Practice ①

🔍 다음 문장을 해석하시오.

01 My hope is to travel around the world.
skill 13

⇨

02 Her job is teaching history at a college.
skill 12

⇨

03 Joe's new dream is to open his own bakery.
skill 13

⇨

04 His problem is not coming to class on time.
skill 12

⇨

05 The company's decision was to close the factory.
skill 13

⇨

06 One of his duties is cleaning the office.
skill 12

⇨

07 His biggest goal is to be an Olympic champion.
skill 13

⇨

08 The way to lose weight is not eating snacks at all.
skill 12

⇨

09 The important thing about life is enjoying the present.
skill 12

⇨

10 The doctor's advice for me was to rest and to eat healthy food.
skill 13

⇨

11 Riding the roller coaster was very exciting.　　　　skill 14

12 The news seemed shocking to many of his fans.　　　skill 14

13 The long journey was tiring to him.　　　　skill 14

14 The museum looked boring to the kids.　　　skill 14

15 A warm bath is so relaxing after a long day.　　　skill 14

16 The boy seemed interested in music.　　　skill 15

17 I am worried about my grandma's health.　　　skill 15

18 She was surprised by the loud noise.　　　skill 15

19 The teacher was disappointed in his behavior.　　　skill 15

20 The workers there looked satisfied with their job.　　　skill 15

해석 Practice ②

🔍 다음 문장에서 목적격 보어에 밑줄을 긋고, 문장을 해석하시오.

01 Students want their teachers to be fair.　　　skill 16

02 Henry's mother told him to put away his toys.　　　skill 16

03 I asked my brother to print out the report.　　　skill 16

04 I don't expect you to understand me.　　　skill 16

05 Her parents allowed her to go to the concert.　　　skill 16

06 The teacher warned the children not to play with toy guns.　　　skill 16

07 The decision caused them to lose a lot of money.　　　skill 16

08 The police ordered the photographers not to take any pictures of the scene.　　　skill 16

09 Alice saw a rabbit go into the forest.　　　skill 17

10 No one noticed him leave the room.　　　skill 17

Answer p.23

11 I heard my sister cry in her room.
skill 17

12 She watched her son cross the street.
skill 17

13 Close your eyes and listen to the birds sing.
skill 17

14 He felt someone kicking his chair.
skill 17

15 I had the mechanic check the brakes.
skill 18

16 Exercising regularly helps me to control my stress.
skill 18

17 Could you help me carry my bags?
skill 18

18 I don't let my kids run around in a restaurant.
skill 18

19 Skipping breakfast can make you gain weight.
skill 18

20 The professor let his students choose their own essay topics.
skill 18

단어 Review

Answer p.23

A 다음 영어를 우리말로 쓰시오.

01	station		11	Jewish	
02	windsurf		12	tradition	
03	receive		13	over	
04	order		14	article	
05	cheat		15	gardener	
06	motorcycle		16	celebrate	
07	lose		17	thousands of	
08	purse		18	tourist	
09	market		19	advertising	
10	failure		20	product	

B 다음 우리말을 영어로 쓰시오.

01	물을 주다		11	첫눈에	
02	정기적으로		12	정비공	
03	부상을 입히다		13	일으키다, 초래하다	
04	허브, 약초		14	재배하다	
05	수백의		15	황제	
06	훔치다		16	~을 추모해서	
07	생산하다		17	토네이도	
08	쉽게		18	유명인사	
09	번역하다		19	~로 나누다	
10	사랑에 빠지다		20	도로	

개념 Review

Answer p.24

A 맞는 설명에는 ○, 틀린 설명에는 ✕를 하시오.

01 현재완료는 명백한 과거를 나타내는 부사구와 함께 쓸 수 없다.   [   ]

02 '(결코) ~한 적이 없다'라는 말은 「never＋have[has]＋p.p.」의 어순으로 쓴다.   [   ]

03 have gone to는 '~에 가본 적이 있다'로 해석한다.   [   ]

04 수동태의 기본 형태는 「be p.p.」로 '~되다[당하다]'로 해석한다.   [   ]

05 「주어＋will be p.p.＋(by＋행위자)」는 '주어가 (~에 의해) ~되었다'로 해석한다.   [   ]

B 다음 문장의 네모 안에서 어법상 알맞은 것을 고르시오.

01 Most of the guests have already / ever arrived.

02 The song will remember / will be remembered forever.

03 Her stories love / are loved by readers of all ages.

04 He has been interested in music for / since he was young.

05 We have visited Iraq a year ago / twice .

C 다음 밑줄 친 부분을 바르게 고치시오.

01 Dollars use all over the world.

02 Becky has been sick since a week.

03 He just has turned on the TV.

04 Oh, no! My passport has be stolen!

05 A liar will be not believed even when he speaks the truth.

해석 Practice ①

🔍 다음 밑줄 친 부분에 유의하여 문장을 해석하시오.

01 We <u>have eaten</u> at that restaurant many times.   skill 19

02 I think I <u>have met</u> him once.   skill 19

03 <u>Have</u> you <u>seen</u> that movie before?   skill 19

04 I <u>have</u> never <u>been</u> to Italy.   skill 19

05 <u>Has</u> Jason ever <u>failed</u> a test?   skill 19

06 We <u>have</u> just <u>arrived</u> at the airport.   skill 19

07 I <u>have</u> already <u>solved</u> the puzzle.   skill 19

08 The boys <u>haven't returned</u> from the camp yet.   skill 19

09 <u>Has</u> Tom just <u>woken</u> up now?   skill 19

10 <u>Have</u> they <u>booked</u> their tickets yet?   skill 19

Answer p.24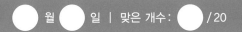

11 We <u>have known</u> each other for a long time.

skill 20

⇨

12 The girl <u>has eaten</u> nothing since yesterday.

skill 20

⇨

13 How long <u>have</u> you <u>had</u> this car?

skill 20

⇨

14 My uncle <u>has worked</u> at the bank for two years.

skill 20

⇨

15 Katie <u>has kept</u> a dog since she was 8 years old.

skill 20

⇨

16 I <u>have forgotten</u> her name.

skill 20

⇨

17 John <u>has left</u> his homework at home.

skill 20

⇨

18 The man <u>has gone</u> back to his hometown.

skill 20

⇨

19 My father <u>has lost</u> his cell phone.

skill 20

⇨

20 The island <u>has disappeared</u> into the ocean.

skill 20

⇨

해석 Practice ②

🔍 다음 밑줄 친 부분에 유의하여 문장을 해석하시오.

01 The rooms <u>are cleaned</u> by the hotel staff every day.   skill 21

↪

02 Christmas <u>is celebrated</u> worldwide.   skill 21

↪

03 The newspaper <u>is delivered</u> every morning.   skill 21

↪

04 These sausages <u>are cooked</u> on a grill.   skill 21

↪

05 Rice <u>is grown</u> in many countries around the world.   skill 21

↪

06 Breakfast <u>is served</u> between 7 and 9.   skill 21

↪

07 The man <u>was bitten</u> by a snake in the forest.   skill 22

↪

08 The tree in the backyard <u>was planted</u> by my grandfather.   skill 22

↪

09 The main building of the museum <u>was built</u> in 1889.   skill 22

↪

10 The thief <u>was</u> finally <u>arrested</u> by the police on Monday.   skill 22

↪

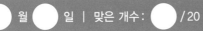
Answer p.24

Workbook

11 The light bulb <u>was invented</u> by Edison in 1879.   skill 22

12 The movie <u>will be released</u> next Friday.   skill 22

13 He <u>will not be invited</u> to the wedding.   skill 22

14 The school festival <u>will be held</u> on May 11.   skill 22

15 The schedule <u>will not be changed</u>.   skill 22

16 The invitations <u>have</u> already <u>been sent</u> out.   skill 22

17 All flights <u>have been canceled</u> because of the bad weather.   skill 22

18 This computer <u>has been used</u> for five years.   skill 22

19 The child <u>has</u> just <u>been taken</u> to a hospital.   skill 22

20 The girls <u>haven't been treated</u> equally.   skill 22

Answer p.24

A 다음 영어를 우리말로 쓰시오.

01	ballpark		11	aquarium
02	perfume		12	hill
03	carve		13	pumpkin
04	nearby		14	lighthouse
05	advice		15	save
06	see a dentist		16	suffer from
07	expert		17	take part in
08	fitness center		18	suitcase
09	principal		19	student ID
10	fasten		20	starving

B 다음 우리말을 영어로 쓰시오.

01	독감		11	함께 하다, 가입하다
02	공포		12	빌려주다
03	허락하다		13	딸
04	지루한		14	취소하다
05	할인		15	달콤한
06	안전벨트		16	기자
07	낭비하다		17	논의하다
08	문제		18	신문
09	배달		19	약
10	끝내다, 완료하다		20	임무

개념 Review

Answer p.25

A 맞는 설명에는 ○, 틀린 설명에는 ×를 하시오.

01 조동사 would를 사용하여 과거의 상태를 나타내기도 한다. [   ]

02 가정법 과거 문장의 if절에서 be동사는 인칭이나 수에 관계없이 were를 쓴다. [   ]

03 조동사 had better의 부정형은 had better not이다. [   ]

04 가정법 과거완료 문장의 주절은 「주어＋조동사의 과거형＋have p.p.…」 형태이다. [   ]

05 "I would like to listen to jazz music."은 '나는 재즈 음악을 듣는 것을 좋아한다.'라고 해석한다.

[   ]

B 다음 문장의 네모 안에서 어법상 알맞은 것을 고르시오.

01 I would better / would rather make the cake myself.

02 I would / should like to learn more about animals and plants.

03 Mary had better / used to drink milk every day when thirteen.

04 What would you do if you are / were in my place?

05 If I had read the email, I would know / have known about his death.

C 다음 밑줄 친 부분을 바르게 고치시오.

01 If he ran a little faster, he would have broken the world record.

02 If I were not alone, I would have been happier now.

03 They would like traveling all around the world by boat.

04 This old rocking chair would belong to my grandmother.

05 You had not better drive a car on a rainy night.

Workbook

🔍 다음 밑줄 친 부분에 유의하여 문장을 해석하시오.

01 I <u>used to</u> be shy, but now I'm not.   skill 23

⇨

02 I <u>would rather</u> stay home than go out in this hot weather.   skill 24

⇨

03 Mom <u>would like to</u> go to Spain next summer.   skill 25

⇨

04 My family <u>used to</u> go to the islands by ship every spring.   skill 23

⇨

05 He <u>would</u> take a walk with his dog after dinner.   skill 23

⇨

06 What <u>would</u> you <u>like to</u> drink?   skill 25

⇨

07 You <u>had better</u> not enter his room without knocking.   skill 24

⇨

08 <u>Would</u> you <u>like to</u> go to the concert with me?   skill 25

⇨

09 I <u>would rather</u> go to bed than watch TV.   skill 24

⇨

10 He <u>had better</u> keep his promise this time.   skill 24

⇨

 월 ◯ 일 | 맞은 개수: ◯ / 20

skill 23 used to/would가 쓰인 문장 읽기
skill 24 had better/would rather가 쓰인 문장 읽기
skill 25 would like to가 쓰인 문장 읽기

Answer p.25

11 You <u>had better</u> not throw waste out of the window.   skill 24

⇨

12 He <u>used to</u> feed birds in this area every morning.   skill 23

⇨

13 I <u>would rather</u> not buy this expensive cake.   skill 24

⇨

14 I <u>would like</u> your opinion on that.   skill 25

⇨

15 We <u>would rather</u> take out our sandwiches.   skill 24

⇨

16 My family <u>would</u> go skiing in winter.   skill 23

⇨

17 I <u>used to</u> be afraid of ghosts when young.   skill 23

⇨

18 I'd <u>like to</u> climb the Tower of Pisa.   skill 25

⇨

19 I <u>would</u> play the popular games with my smartphone.   skill 23

⇨

20 They <u>would like to</u> hold a pajama party at their house.   skill 25

⇨

Workbook

해석 Practice ②

🔍 다음 밑줄 친 부분에 유의하여 문장을 해석하시오.

01 If you <u>exercised</u> regularly, you <u>would lose</u> weight.   *skill 26*

↪ _____

02 What <u>would</u> you <u>do</u> if you <u>saw</u> a thief at night?   *skill 26*

↪ _____

03 If the wind <u>had stopped</u>, the plane <u>could have taken</u> off.   *skill 27*

↪ _____

04 If it <u>were</u> hot, we <u>would go</u> swimming in the sea.   *skill 26*

↪ _____

05 If she <u>had tried</u> her best, she <u>would have been</u> famous.   *skill 27*

↪ _____

06 If I <u>had read</u> this book before, I <u>would have understood</u> the movie.   *skill 27*

↪ _____

07 If you <u>stayed</u> longer here, you <u>could see</u> her.   *skill 26*

↪ _____

08 Most people <u>would have voted</u> for him if he <u>had been</u> honest.   *skill 27*

↪ _____

09 If I <u>didn't finish</u> my work, I <u>could not watch</u> the soccer game.   *skill 26*

↪ _____

10 If I <u>earned</u> lots of money, I <u>would help</u> my friend in need.   *skill 26*

↪ _____

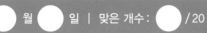
 Answer p.25

11 If I <u>had answered</u> the question quickly, I <u>could have gotten</u> the position.   skill 27

12 If I <u>were</u> in your shoes, I <u>would call</u> her right now.   skill 26

13 If you <u>didn't give</u> up your dream, your dream <u>would come</u> true.   skill 26

14 You <u>would have been</u> excited if you <u>had seen</u> the baseball game.   skill 27

15 If I <u>had known</u> your worries, I <u>would have helped</u> you then.   skill 27

16 I <u>would hurry</u> to you if you <u>sent</u> me a text message.   skill 26

17 If I <u>had</u> not <u>lost</u> my smartphone, I <u>would have called</u> you then.   skill 27

18 I <u>could dance</u> on the stage if I <u>were</u> good at dancing.   skill 26

19 If I <u>had had</u> more time, I <u>could have solved</u> all the math problems.   skill 27

20 If Mary <u>had sung</u> well, she <u>would have taken</u> part in the audition.   skill 27

Workbook

단어 Review

 월 일 | 맞은 개수: ◯ / 40

Answer p.25

A 다음 영어를 우리말로 쓰시오.

01	way		11	nod off	
02	learn		12	grocery store	
03	language		13	amusement park	
04	pack		14	fall asleep	
05	empty		15	go through	
06	scream		16	guard	
07	onto		17	arrive	
08	stage		18	thief	
09	fall off		19	upstairs	
10	sold out		20	dive	

B 다음 우리말을 영어로 쓰시오.

01	닿다, 이르다		11	보물 상자	
02	~를 준비하다		12	가입하다	
03	면접, 인터뷰		13	꽉 조이는	
04	참을성 있는		14	수영장	
05	(설문) 조사		15	도서관	
06	결과		16	잡다, 안다	
07	음악가		17	~를 제출하다	
08	반납하다, 돌려주다		18	전등	
09	흥분한		19	~밖으로	
10	해적		20	긴장한	

144

수식어구

개념 Review

Answer p.26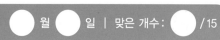

A 맞는 설명에는 ○, 틀린 설명에는 ×를 하시오.

01 to부정사의 부정은 「to＋not[never]＋동사원형」의 형태로 쓴다.　　　　　　　[　　　]

02 「~ enough＋to부정사」는 '…할 만큼 충분히 ~하다'로 해석한다.　　　　　　[　　　]

03 명사(구)가 전치사의 목적어인 경우, to부정사 뒤에 전치사를 쓴다.　　　　[　　　]

04 현재분사는 '~된, ~해진'으로, 과거분사는 '~하는, ~하고 있는'으로 해석한다.　[　　　]

05 「too＋형용사[부사]＋to부정사」는 「so＋형용사[부사]＋that＋주어＋can[could]＋동사원형」으로
바꿔 쓸 수 있다.　　　　　　　　　　　　　　　　　　　　　　　　　[　　　]

B 다음 문장의 네모 안에서 어법상 알맞은 것을 고르시오.

01 I have something to talk about / to talk .

02 Be careful to not / not to catch a cold.

03 The couple were so / too late to board the airplane.

04 Bob was pleased to get / get a free movie ticket.

05 He was happy to hear such encouraging / encouraged words.

C 다음 밑줄 친 부분을 바르게 고치시오.

01 Harry didn't have a partner to dance.

02 His horse is to slow too win the race.

03 The concert hall is enough big to hold more than 10,000 people.

04 Maybe there is good something to watch on TV tonight.

05 There were many relieving people in the room after the troublemaker left.

해석 Practice ①

🔍 다음 문장에서 밑줄 친 부분을 수식하는 말을 [   ]로 묶고, 문장을 해석하시오.

01 I have <u>a lot of things</u> to do today.   skill 28

> ↳

02 The children need <u>a yard</u> to play in.   skill 28

> ↳

03 We have <u>no time</u> to change our plans.   skill 28

> ↳

04 Jake is looking for <u>a roommate</u> to live with.   skill 28

> ↳

05 There is <u>nothing</u> to eat in the refrigerator.   skill 28

> ↳

06 Don't forget to bring <u>some water</u> to drink during the hike.   skill 28

> ↳

07 I was trying to find <u>something good</u> to listen to on the radio.   skill 28

> ↳

08 I didn't have <u>enough time</u> to solve all the problems.   skill 28

> ↳

09 Even the strongest person needs <u>a shoulder</u> to cry on.   skill 28

> ↳

10 Are you looking for <u>something fun</u> to do with your kids?   skill 28

> ↳

Answer p.26

11 Watch out for the broken glass! skill 29

12 I have a cat called Bella. skill 29

13 I had a boring weekend because of the rain. skill 29

14 The disappointed fans left the stadium. skill 29

15 She opened the letter with shaking hands. skill 29

16 He placed a jar filled with jelly beans on the counter. skill 29

17 He was trying to open the locked car door. skill 29

18 There's a morning yoga class beginning next Monday. skill 29

19 I don't know much about the games played by children nowadays. skill 29

20 She didn't talk much to the boy sitting next to her. skill 29

해석 Practice ②

🔍 다음 밑줄 친 부분에 유의하여 문장을 해석하시오.

01 She was careless <u>to lose her cell phone again</u>.   skill 30

⇨ [   ]

02 The whole nation was sad <u>to hear that their king died</u>.   skill 30

⇨ [   ]

03 The family got together <u>to celebrate Grandma's 70th birthday</u>.   skill 30

⇨ [   ]

04 I got home <u>to find a parcel on the desk</u>.   skill 30

⇨ [   ]

05 We are glad <u>to work with you as a team</u>.   skill 30

⇨ [   ]

06 You must be a fool <u>to do such a thing</u>.   skill 30

⇨ [   ]

07 Mrs. Wilson hurried to the bank, <u>only to find it closed</u>.   skill 30

⇨ [   ]

08 I left home early <u>in order not to be late for the job interview</u>.   skill 30

⇨ [   ]

09 He was relieved <u>to realize that it was only a dream</u>.   skill 30

⇨ [   ]

10 Peter stayed up late <u>so as to study for the final exams</u>.   skill 30

⇨ [   ]

 월 ⬤ 일 | 맞은 개수 : ⬤ / 20

skill 30 to부정사가 부사 역할을 하는 문장 읽기
skill 31 「too ~ to」 문장 읽기
skill 32 「~ enough to」 문장 읽기

 Answer p.26

11 The mirror is <u>too heavy to hang on the wall.</u>   skill 31

12 Do you live <u>close enough to walk to school?</u>   skill 32

13 This soup is <u>too spicy for me to eat.</u>   skill 31

14 It's <u>too early to go to bed now.</u>   skill 31

15 Your son is <u>old enough to make his own decisions.</u>   skill 32

16 Was she <u>foolish enough to believe his lies?</u>   skill 32

17 He was <u>too sleepy to keep his eyes open.</u>   skill 31

18 She has become <u>too fat to wear her old pair of jeans.</u>   skill 31

19 The old man knew that he was not <u>healthy enough to travel.</u>   skill 32

20 Oedipus was <u>clever enough to solve the riddle of the Sphinx.</u>   skill 32

Workbook

명사절
단어 Review

Answer p.26

A 다음 영어를 우리말로 쓰시오.

01	until		11	one another
02	clear		12	talented
03	language		13	volcano
04	value		14	give up
05	overcome		15	difficulty
06	save		16	accept
07	offer		17	stage
08	island		18	treasure chest
09	location		19	attitude
10	towards		20	disappoint

B 다음 우리말을 영어로 쓰시오.

01	뛰다		11	기대하다
02	존중[존경]하다		12	웃다
03	(돈을) 벌다		13	세상, 행성
04	살아남다		14	수수께끼
05	~에 반대하여		15	법률
06	~을 미루다		16	생계, 생활비
07	사회		17	재활용하다
08	개최되다, 일어나다		18	(여자) 조카
09	첨가하다		19	알려지지 않은
10	요즘		20	꽃병

명사절

개념 Review

Answer p.27

A 맞는 설명에는 ○, 틀린 설명에는 ×를 하시오.

01 that절이 동사의 목적어일 때, 접속사 that은 종종 생략되기도 한다. [   ]

02 what이 이끄는 명사절은 문장의 보어로 쓰일 수 있다. [   ]

03 동격의 that은 생략할 수 있다. [   ]

04 How the magician did the trick is a secret.에서 문장 전체의 동사는 did이다. [   ]

05 What's important is your safety.에서 what은 '무엇'이라고 해석한다. [   ]

B 다음 문장의 네모 안에서 어법상 알맞은 것을 고르시오.

01 That he donated all his money is / are amazing.

02 You should bring what / that you need for camping.

03 I heard the news that / what Paul would move next month.

04 When / What the country needs is strong leadership.

05 I want to know what / where he bought the red pants.

C 다음 밑줄 친 부분을 바르게 고치시오.

01 This is that I wanted to have.

02 We don't know when will the plane take off.

03 Children like that is new to them.

04 The fact what he invented the machine was true.

05 The workers complained what they had too much to do.

Workbook

해석 Practice ①

🔍 다음 밑줄 친 부분에 유의하여 문장을 해석하시오.

01 I heard that he won the lottery.　　　　　　　*skill 33*

↳

02 That he joined the baseball club was true.　　　*skill 33*

↳

03 The problem is that earphones can damage your ears.　　*skill 33*

↳

04 She smiled at the thought that they have grown up well.　　*skill 34*

↳

05 The best thing about this car is that it is very convenient.　　*skill 33*

↳

06 I heard the rumor that he was dating an actress.　　*skill 34*

↳

07 It was a pity that he was injured in the accident.　　*skill 33*

↳

08 The truth was that he painted the picture by himself.　　*skill 33*

↳

09 I understand that you need some time alone.　　*skill 33*

↳

10 I agree with his opinion that the game was unfair.　　*skill 34*

↳

○ 월 ○ 일 | 맞은 개수 : ○ / 20

skill 33 that절이 쓰인 문장 읽기 (1)
skill 34 that절이 쓰인 문장 읽기 (2)
skill 35 의문사절이 쓰인 문장 읽기

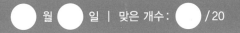

Answer p.27

11 We knew that we had to follow the rules.   skill 33

12 The idea that women's language is different is true.   skill 34

13 The question is when dinner is ready.   skill 35

14 Can you guess who the woman in the picture is?   skill 35

15 Tell me how many days you want to stay here.   skill 35

16 It doesn't matter what you do for a living.   skill 35

17 It's not clear why these diseases occur.   skill 35

18 I wonder how they survive so long.   skill 35

19 Do you know where I can rent a bicycle?   skill 35

20 Let's choose which of us will bring a tent for the trip.   skill 35

해석 Practice ②

🔍 다음 밑줄 친 부분에 유의하여 문장을 해석하시오.

01 <u>What you did last week</u> was wrong.　　　　　skill 36

⇨

02 <u>What you are saying</u> is <u>what I know</u>.　　　　　skill 36

⇨

03 I can't believe <u>what he said to Mike</u>.　　　　　skill 37

⇨

04 <u>What he likes for dessert</u> is tea.　　　　　skill 36

⇨

05 That was not <u>what I tried to explain</u>.　　　　　skill 38

⇨

06 Did you get <u>what you ordered</u>?　　　　　skill 37

⇨

07 He showed me <u>what was in his backpack</u>.　　　　　skill 37

⇨

08 The key is <u>what I'm looking for</u>.　　　　　skill 38

⇨

09 The action movie was <u>what I really wanted to watch</u>.　　　　　skill 38

⇨

10 <u>What I hope to be</u> is a travel writer.　　　　　skill 36

⇨

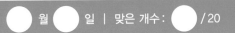

월 ◯ 일 ◯ | 맞은 개수 : ◯ / 20

skill 36 what절이 주어인 문장 읽기
skill 37 what절이 목적어인 문장 읽기
skill 38 what절이 보어인 문장 읽기

Answer p.27

11 Playing tennis is <u>what he does in his free time</u>.　skill 38

12 Tell me <u>what you want to eat for dinner</u>.　skill 37

13 The result was not <u>what we expected</u>.　skill 38

14 Language is <u>what makes us human</u>.　skill 38

15 <u>What makes me happy</u> is spending time with my friends.　skill 36

16 <u>What I liked about Sally</u> was that she was funny.　skill 36

17 <u>What I want most now</u> is to sleep a little.　skill 36

18 I ate <u>what the manager recommended</u>.　skill 37

19 We did <u>what our teacher asked us to do</u>.　skill 37

20 You can choose <u>what you want</u> from a list.　skill 37

Answer p.27

A 다음 영어를 우리말로 쓰시오.

01	hairdresser		11	welcome	
02	land		12	photographer	
03	symbol		13	refrigerator	
04	stay up		14	subject	
05	run into		15	college	
06	rely on		16	pain	
07	recommend		17	fit	
08	apologize		18	gentle	
09	grain		19	satisfying	
10	language		20	underground	

B 다음 우리말을 영어로 쓰시오.

01	들다, 나르다		11	가입하다	
02	자연		12	독특한	
03	향하다, 마주 보다		13	발생하다	
04	계절		14	(과일·곡물이) 익은	
05	청혼하다		15	여러 가지의, 다른	
06	서랍		16	보관하다	
07	양말		17	잘못, 책임	
08	~에 속하다		18	전망	
09	믿다, 신뢰하다		19	짜증나게 하다	
10	그림		20	심다	

Answer p.27

A 맞는 설명에는 ◯, 틀린 설명에는 ×를 하시오.

01 목적격 관계대명사는 관계대명사절 안에서 타동사나 전치사의 목적어 역할을 한다.   [   ]

02 선행사에 최상급, 서수, the very 등이 있을 경우 관계대명사 which를 쓴다.   [   ]

03 관계부사 where는 「in/at/on/to+which」로 바꿔 쓸 수 있다.   [   ]

04 "The program which we saw was terrible."에서 전체 문장의 동사는 saw이다.   [   ]

05 "Kevin is an athlete whose hair is red."는 'Kevin은 머리카락이 빨간 운동선수이다.'로 해석 된다.   [   ]

B 다음 문장의 네모 안에서 어법상 알맞은 것을 고르시오.

01 Children who   hate / hates   chocolate are uncommon.

02 I want to buy a hat   who / which   can block the sun.

03 Saturn is not the only planet   which / that   has rings around it.

04 April Fool's Day is the day   which / on which   people tell lies for fun.

05 The woman   with who / with whom   he fell in love left him after a few weeks.

C 다음 밑줄 친 부분을 바르게 고치시오.

01 The thief who stole the jewels were arrested.

02 We need a sofa in that we can sit.

03 Busan is a famous city which many tourists come every year.

04 An orphan is someone whose parents is dead.

05 July and August are the months where many people go on a vacation.

🔍 다음 문장에서 선행사에는 밑줄을 긋고, 관계대명사절은 [   ]로 표시한 후 문장을 해석하시오.

01 We know a few people who live in London.
skill 39
↳

02 The man who invented the toilet was Thomas Crapper.
skill 39
↳

03 The merchant who works in this village is very old.
skill 39
↳

04 The student who won the writing contest is my younger sister.
skill 39
↳

05 Shakespeare was an English author who wrote *Romeo and Juliet*.
skill 39
↳

06 Do you remember the woman who used to work in my office?
skill 39
↳

07 There are two questions which are very important.
skill 40
↳

08 The tiger is an animal which only eats meat.
skill 40
↳

09 The white dog which has short legs is very cute.
skill 40
↳

10 The watch which is on the table belongs to me.
skill 40
↳

Answer p.28

11 I want to have a robot which can talk with me. *skill 40*

↪

12 The building which stands outside was built 200 years ago. *skill 40*

↪

13 A dictionary is a book which gives us the meaning of words. *skill 40*

↪

14 The boy that is crying over there is my little brother. *skill 40*

↪

15 The police were stopping every car that passed by. *skill 40*

↪

16 Look at the girl and her cat that are coming this way. *skill 40*

↪

17 This is the first ice cream shop that opened in New York City. *skill 40*

↪

18 It's the worst thing that can happen in my life. *skill 40*

↪

19 Charles is the very man that will do the job quickly. *skill 40*

↪

20 Don't take anything that doesn't belong to you. *skill 40*

↪

해석 Practice ②

🔍 다음 문장에서 선행사에는 밑줄을 긋고, 관계대명사절은 [　]로 표시한 후 문장을 해석하시오.

01 The girl who you saw in my house was my cousin.　　skill 41

↪

02 The lady who I spoke with looked so young.　　skill 41

↪

03 I don't know the person who you're talking about.　　skill 41

↪

04 I met the idol star whom I like so much.　　skill 41

↪

05 He is a friend with whom I share joys and sorrows.　　skill 41

↪

06 We can eat fish which we caught at the lake.　　skill 42

↪

07 Where is the T-shirt which I put on my bed?　　skill 42

↪

08 The Japanese restaurant which we visited last month is closed now.　　skill 42

↪

09 Love is a common topic about which most writers write.　　skill 42

↪

10 This is the knife with which my mom cuts food.　　skill 42

↪

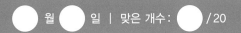

월 ◯ 일 | 맞은 개수 : ◯ / 20

skill 41 목적격 관계대명사 who(m)가 쓰인 문장 읽기
skill 42 목적격 관계대명사 which/that이 쓰인 문장 읽기
skill 43 소유격 관계대명사 whose가 쓰인 문장 읽기

Answer p.28

11 Sam found his bicycle that he lost yesterday.   *skill 42*

➮

12 I read all the books that I borrowed from the library.   *skill 42*

➮

13 It is the best film that I have ever seen.   *skill 42*

➮

14 He was the only one that the old man spoke to.   *skill 42*

➮

15 Linda applied for the contest that I wanted to take part in.   *skill 42*

➮

16 I have a dog whose hair is brown.   *skill 43*

➮

17 She bought a book whose title was interesting.   *skill 43*

➮

18 We met at a restaurant whose owner was a famous singer.   *skill 43*

➮

19 The man whose car was stolen went to the police station.   *skill 43*

➮

20 I joined a tennis club whose members were all my friends.   *skill 43*

➮

Workbook

해석 Practice ③

🔍 다음 밑줄 친 부분에 유의하여 문장을 해석하시오.

01 She loves the time <u>when the sun rises</u>. skill 44

⇨

02 Saturday is the day <u>when she takes violin lessons</u>. skill 44

⇨

03 January is the month <u>when many people set new goals</u>. skill 44

⇨

04 The year 2012 was the year <u>when I graduated from high school</u>. skill 44

⇨

05 Yesterday was the day <u>when everything went wrong</u>! skill 44

⇨

06 The year 1876 was the year <u>when A. G. Bell invented the telephone</u>. skill 44

⇨

07 Spring is the season <u>when leaves start to grow</u>. skill 44

⇨

08 I'll never forget the day <u>when I won the singing contest</u>. skill 44

⇨

09 Winter is the season <u>when we spend a lot of time indoors</u>. skill 44

⇨

10 Valentine's Day is the day <u>when girls give boys chocolates</u>. skill 44

⇨

Answer p.29

11 A hospital is a place <u>where nobody wants to be.</u>   skill 45

12 The house <u>where he moved</u> is not far from here.   skill 45

13 Busan is the city <u>where my aunt lives.</u>   skill 45

14 Greece is the country <u>where the first Olympic Games were held.</u>   skill 45

15 This is the church <u>where Lily and James got married.</u>   skill 45

16 I told him about the museum <u>where kids can have fun.</u>   skill 45

17 What is the name of the town <u>where we are going?</u>   skill 45

18 This is a place <u>where tourists can get travel information.</u>   skill 45

19 The police arrived at the place <u>where the car accident happened.</u>   skill 45

20 Do you remember the park <u>where we used to play after school?</u>   skill 45

단어 Review

Answer p.29

A 다음 영어를 우리말로 쓰시오.

01	skillful	11	impressive
02	courage	12	traditional
03	housework	13	homesick
04	drop by	14	delete
05	regret	15	air conditioner
06	goal	16	satisfied
07	annoy	17	challenge
08	manage to-v	18	credit card
09	whistle	19	receipt
10	distance	20	calcium

B 다음 우리말을 영어로 쓰시오.

01	아늑한	11	참다, 견디다
02	지식	12	~를 좋아하다
03	지도	13	자격증
04	떨어져 있는	14	약한
05	주문하다	15	단 하나의
06	전체의	16	달성하다, 도달하다
07	도구	17	계산서
08	결석한	18	하품
09	해외에	19	금발의
10	제공하다	20	흔들다

Answer p.29

A 맞는 설명에는 ○, 틀린 설명에는 ×를 하시오.

01 「both A and B」가 주어 자리에 오면 뒤에 복수 동사를 쓴다. [　　]

02 "Being diligent, she finally succeeded."에 쓰인 분사구문은 시간을 나타낸다. [　　]

03 although는 조건을 나타내는 부사절을 이끈다. [　　]

04 부사절과 마찬가지로 분사구문은 주절의 앞이나 뒤에 올 수 있다. [　　]

05 시간의 부사절에서는 현재시제가 '미래'를 나타낸다. [　　]

B 다음 문장의 네모 안에서 어법상 알맞은 것을 고르시오.

01 Not only Tom but also his friends [like / likes] to play soccer after school.

02 Both science and math [is / are] difficult to study.

03 [Since / Though] you are a grown-up, you should be responsible for your actions.

04 If the weather [is / will be] nice, we will climb Mt. Bukhan.

05 She watered the plants, [talk / talking] on the phone.

C 다음 밑줄 친 부분을 바르게 고치시오.

01 <u>Wait</u> for her friends, she shopped for her shoes.

02 <u>Knowing not</u> the answer, I asked for her help.

03 Mike, as well as you, <u>have</u> to finish the work by 6 p.m.

04 I will keep in touch with you while I <u>will be</u> on holiday.

05 <u>Unless</u> you don't hurry up, you will miss the plane.

🔍 다음 밑줄 친 부분에 유의하여 문장을 해석하시오.

01 Pigs eat <u>both</u> meat <u>and</u> vegetables.   skill 46

⮑

02 <u>Both</u> Mike <u>and</u> Bob go snowboarding every winter.   skill 46

⮑

03 I am good at <u>both</u> running <u>and</u> swimming.   skill 46

⮑

04 School starts tomorrow, and I'm <u>both</u> nervous <u>and</u> excited!   skill 46

⮑

05 You can experience <u>both</u> history <u>and</u> nature here.   skill 46

⮑

06 She has studied in <u>both</u> Korea <u>and</u> the United States.   skill 46

⮑

07 <u>Both</u> the mother <u>and</u> her baby were healthy.   skill 46

⮑

08 Frogs can live <u>both</u> in <u>and</u> out of the water.   skill 46

⮑

09 Leonardo da Vinci was a scientist <u>as well as</u> an artist.   skill 47

⮑

10 <u>Not only</u> you <u>but also</u> people around the world love ice cream.   skill 47

⮑

Answer p.29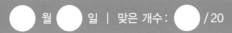

11 She plays not only the piano but also the flute.   skill 47

12 The comedian is not only talented but also honest.   skill 47

13 She eats cereal not only for breakfast but also for dinner.   skill 47

14 The work needs skill as well as heart.   skill 47

15 He, as well as you, is planning a trip to Europe.   skill 47

16 She has five horses as well as three cows on her farm.   skill 47

17 Smokers cause harm not only to themselves but also to others.   skill 47

18 My son not only reads about birds but also observes them.   skill 47

19 He is not only a good student but also an excellent athlete.   skill 47

20 Not only he but also I am responsible for the matter.   skill 47

Workbook

해석 Practice ②

🔍 다음 문장에서 부사절에 밑줄을 긋고, 문장을 해석하시오.

01 Don't cry before you are hurt.   skill 48

⇨

02 Most tourists spend time in Seoul while they stay in Korea.   skill 48

⇨

03 When we have to eat alone, we feel really lonely.   skill 48

⇨

04 I will wait until the final game is over.   skill 48

⇨

05 I sweat a lot when I play soccer in summer.   skill 48

⇨

06 I hope to see you as soon as I arrive in Paris.   skill 48

⇨

07 I started my own company after I graduated.   skill 48

⇨

08 As soon as you read this email, please reply.   skill 48

⇨

09 Be careful while you are using a knife.   skill 48

⇨

10 Bill worked here after he came to New York.   skill 48

⇨

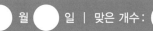
Answer p.29

11 I like to eat popcorn while I watch a movie in the theater.   skill 48

12 You should stay with your parents until you enter university.   skill 48

13 If you see him, give him this bag.   skill 49

14 I'll come back later if you are busy.   skill 49

15 Unless it rains tomorrow, we will go on a field trip.   skill 49

16 If you don't ask questions, you cannot learn anything.   skill 49

17 I can't hear you if you don't speak more loudly.   skill 49

18 If you tell me the truth, I won't tell anyone about it.   skill 49

19 Change does not begin unless I change first.   skill 49

20 Unless we work together, we cannot solve these problems.   skill 49

해석 Practice ③

🔍 다음 밑줄 친 부분에 유의하여 문장을 해석하시오.

01 Because of my hard work, I felt tired.
skill 50

⤷

02 As jogging makes me feel good, I like it.
skill 50

⤷

03 Since he has no neighbors, he spends all day alone.
skill 50

⤷

04 Because the weather was bad, they had to turn back.
skill 50

⤷

05 My throat hurts because of the yellow sand.
skill 50

⤷

06 As I had headache, I took some medicine.
skill 50

⤷

07 Since I had no money, I walked home last night.
skill 50

⤷

08 James is getting weaker because he doesn't eat well.
skill 50

⤷

09 As Samuel told a lie to me, I was very angry.
skill 50

⤷

10 Nobody can cross the street because of the heavy traffic.
skill 50

⤷

Answer p.30

Workbook

11 Since I can't control the weather, I'm trying to enjoy it. *skill 50*

⟳

12 I called the police because someone stole my purse. *skill 50*

⟳

13 Though they worked hard, they failed. *skill 51*

⟳

14 Even though you are busy, you must eat breakfast. *skill 51*

⟳

15 Although he did his best, he didn't pass the test. *skill 51*

⟳

16 Though I forgot his name, I remembered his face. *skill 51*

⟳

17 Even though I have a free ticket, I won't see the concert. *skill 51*

⟳

18 Though the food smells great, it tastes bitter. *skill 51*

⟳

19 Although I love you so much, I won't be with you forever. *skill 51*

⟳

20 Though my brother is good at math, he can't solve the problem. *skill 51*

⟳

해석 Practice ④

🔍 다음 밑줄 친 부분에 유의하여 문장을 해석하시오.

01 I fell asleep slowly, <u>watching TV</u>.   skill 53

↪

02 <u>Living alone</u>, he often felt lonely.   skill 54

↪

03 <u>Having a good time</u>, I returned home.   skill 54

↪

04 <u>Leaving home</u>, he took his cane with him.   skill 54

↪

05 <u>Being hungry</u>, she ate a whole pizza.   skill 54

↪

06 <u>Jumping out of bed</u>, he rushed to the door.   skill 54

↪

07 <u>Putting down the book</u>, Jack turned off the light.   skill 54

↪

08 <u>Not brushing his teeth regularly</u>, my son had a toothache.   skill 54

↪

09 <u>Jogging in the dark</u>, you should wear bright clothes.   skill 54

↪

10 He was using a cell phone, <u>driving his car with one hand</u>.   skill 53

↪

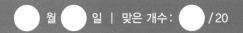

Answer p.30

Workbook

11 Taking a break, do simple neck exercises.   skill 54

12 On Chuseok, we make wishes looking at the full moon.   skill 53

13 A famous movie star got in his van, waving his hand.   skill 53

14 Looking at the artwork, she stood there.   skill 53

15 I have lost my way coming out of the woods.   skill 54

16 Not having enough time, we can't visit the church.   skill 54

17 You should not speak to others while eating food.   skill 54

18 Keep your back straight while sitting at your desk.   skill 54

19 Not knowing a single word of the language, I just kept silent.   skill 54

20 Being very sick, he couldn't take part in the contest.   skill 54

Answer p.31

A 다음 영어를 우리말로 쓰시오.

01 luggage

02 crowded

03 usual

04 expect

05 bright

06 billion

07 loud

08 score a goal

09 novel

10 film

11 sales

12 healthy

13 wise

14 climb

15 electricity

16 realize

17 earn

18 breathe

19 precious

20 poisonous

B 다음 우리말을 영어로 쓰시오.

01 과목

02 우정

03 신뢰

04 행성

05 태양계

06 강력한

07 열정

08 방향

09 상황

10 상상하다

11 살을 빼다

12 근육

13 덕목

14 자신감

15 실망한

16 가망 없는

17 총명한, 똑똑한

18 평화로운

19 시골

20 점수

Answer p.31

A 맞는 설명에는 ○, 틀린 설명에는 ✕를 하시오.

01 「배수사＋as＋원급＋as」로 비교되는 두 대상은 격이 같아야 한다.　　　　　[　　]

02 much, even, far, a lot 등은 형용사 또는 부사의 원급을 강조한다.　　　　　[　　]

03 「비교급＋than＋any other ~」는 '다른 어떤 ~보다 더 …한[하게]'로 해석한다.　　[　　]

04 「배수사＋비교급＋than」은 '~보다 몇 배 더 …한[하게]'로 해석한다.　　　　　[　　]

05 「부정 주어 ~ as＋원급＋as」는 '어떤 ~도 − 만큼 …하다'로 해석한다.　　　　[　　]

B 다음 문장의 네모 안에서 어법상 알맞은 것을 고르시오.

01 I can jump twice as high / higher as you.

02 She used to have ten times many / more shoes than she has now.

03 His eyesight got very / much worse than it was before.

04 The giraffe has a longer neck than all the other animal / animals .

05 Nothing is important / more important than safety.

C 다음 밑줄 친 부분을 바르게 고치시오.

01 His car is almost ten times as expensive as me.

02 This laptop is three times light than that laptop.

03 The longer she waited, the worried she became.

04 A humming bird is smaller than any other birds on earth.

05 No other dessert is as delicious than ice cream to me.

Workbook

CHAPTER 10 해석 Practice ①

🔍 다음 밑줄 친 부분에 유의하여 문장을 해석하시오.

01 Australia is about <u>35 times as large as</u> Korea.   *skill 55*

⇨

02 The enemy was <u>twice as powerful as</u> we were.   *skill 55*

⇨

03 He earns <u>three times as much money as</u> his brother.   *skill 55*

⇨

04 This phone has <u>twice as many features as</u> the other one.   *skill 55*

⇨

05 My ticket costs <u>half as much as</u> yours.   *skill 55*

⇨

06 My new computer is <u>ten times as fast as</u> the old one.   *skill 55*

⇨

07 Gold is <u>twice as expensive as</u> it was a few years ago.   *skill 55*

⇨

08 My score is <u>three times higher than</u> your score.   *skill 56*

⇨

09 Tony is <u>four times older than</u> his cousin.   *skill 56*

⇨

10 Healthy food costs <u>three times more than</u> unhealthy food.   *skill 56*

⇨

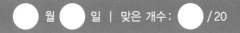
 Answer p.31

11 The new speaker is <u>five times louder than</u> the previous one.   skill 56

⇨

12 I wish I were <u>ten times richer than</u> I am.   skill 56

⇨

13 My shirt has just arrived and it is <u>100 times better than</u> I expected.   skill 56

⇨

14 My sister's hair is <u>much longer than</u> mine.   skill 57

⇨

15 He is <u>a lot younger than</u> he looks.   skill 57

⇨

16 I have to get up <u>a little earlier than</u> before.   skill 57

⇨

17 Swimming burns <u>much more calories than</u> walking.   skill 57

⇨

18 It is <u>a lot faster</u> to travel by plane <u>than</u> by ship.   skill 57

⇨

19 Health is <u>even more important than</u> money.   skill 57

⇨

20 This exhibition is <u>much bigger than</u> the one we saw yesterday.   skill 57

⇨

해석 Practice ②

🔍 다음 밑줄 친 부분에 유의하여 문장을 해석하시오.

01 The harder you fall, the higher you bounce.   skill 58

⇨

02 The less you try, the less you learn.   skill 58

⇨

03 "When should I start?" - "The earlier the better."   skill 58

⇨

04 The more books you read, the more things you will know.   skill 58

⇨

05 The closer you look, the more you see.   skill 58

⇨

06 The more money you have, the more money you spend.   skill 58

⇨

07 The younger you are, the easier it is to learn.   skill 58

⇨

08 Iron is more useful than any other metal.   skill 59

⇨

09 Roses are more beautiful than all the other flowers.   skill 59

⇨

10 I think soccer is more popular than any other sport in Korea.   skill 59

⇨

Answer p.31

11 He is <u>more brilliant than any other student</u> in the class. *skill 59*

↪

12 The last question was <u>more difficult than all the other questions</u>. *skill 59*

↪

13 James acted <u>better than all the other actors</u> in the play. *skill 59*

↪

14 Latin is <u>more difficult than any other language</u> in the world. *skill 59*

↪

15 <u>No other man in the village is as rich as</u> Steve. *skill 60*

↪

16 <u>Nothing in life is more important than</u> family. *skill 60*

↪

17 I think <u>no other inventor is as great as</u> Edison. *skill 60*

↪

18 <u>Nothing could be better than</u> this. *skill 60*

↪

19 <u>No other island is larger than</u> Greenland. *skill 60*

↪

20 <u>No other language in the world is as scientific as</u> Hangul. *skill 60*

↪

Memo

Memo

Memo

Memo

미래를 생각하는
(주)이룸이앤비

이룸이앤비는 항상 꿈을 갖고 무한한 가능성에 도전하는 수험생 여러분과 함께 할 것을 약속드립니다.
수험생 여러분의 미래를 생각하는 이룸이앤비는 항상 새롭고 특별합니다.

내신·수능 1등급으로 가는 길
이룸이앤비가 함께합니다.

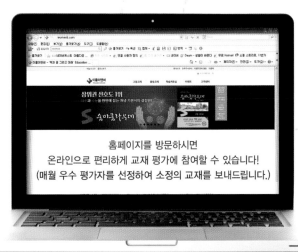

이룸이앤비의 특별한 중등 국어교재 시리즈

숨마 주니어® 중학국어 어휘력 시리즈

중학교 국어 실력을 완성시키는 **국어 어휘 기본서** (전 3권)

- 중학국어 **어휘력 ❶**
- 중학국어 **어휘력 ❷**
- 중학국어 **어휘력 ❸**

숨마 주니어® 중학국어 비문학 독해 연습 시리즈

모든 공부의 기본! 글 읽기 능력을 향상시키는
국어 비문학 독해 기본서 (전 3권)

- 중학국어 **비문학 독해 연습 ❶**
- 중학국어 **비문학 독해 연습 ❷**
- 중학국어 **비문학 독해 연습 ❸**

숨마 주니어® 중학국어 문법 연습 시리즈

중학국어 주요 교과서 종합!
중학생이 꼭 알아야 할 **필수 문법서** (전 2권)

- 중학국어 **문법 연습 1** 기본
- 중학국어 **문법 연습 2** 심화

숨마 주니어®

60개 패턴으로 독해의 기본을 잡는

중학 영어

문장 해석 연습

2

정답 및 해설

숨마 주니어®

중학 영어

문장 해석 연습 2

정답 및 해설

CHAPTER 01 주어

skill 01 ● 본문 18쪽

1 어떤 사람들은 우유를 원하고, 다른 사람들은 주스를 원한다.
2 그녀는 두 명의 남자 형제를 갖고 있다. 한 명은 Tom이고, 나머지 다른 한 명은 Jerome이다.
3 정원에 많은 장미들이 있다. 하나는 분홍색이고, 나머지 다른 것들은 빨간색이다.
4 어떤 사람들은 재즈 음악을 좋아하고, 다른 사람들은 대중음악을 좋아한다.
5 우리는 50개의 공을 갖고 있다. 어떤 것들은 검정색이고, 나머지 다른 것들은 파란색이다.

어법

6 is / Teddy는 두 장의 셔츠를 갖고 있다. 하나는 줄무늬이고, 나머지 다른 하나는 무늬가 없다.
7 are / Jenny는 강아지를 기른다. 어떤 것들은 검정색이고, 나머지 다른 것들은 흰색이다.
   ○ the other 뒤에는 단수 동사가, the others 뒤에는 복수 동사가 온다.

skill 02 ● 본문 19쪽

1 Some of the books / 그 책들 중 몇 권은 거의 새것이다.
2 All of the children / 그 아이들 모두가 캠핑 여행을 갔다.
3 One of my cousins / 나의 사촌들 중 한 명은 유명한 아이돌 스타이다.
4 Most of the wine / 그 와인의 대부분은 여전히 병에 남아 있다.

어법

5 goes / 그 차들 중 한 대는 나머지 다른 것들보다 더 빠르게 간다.
6 are / 사과가 전부 멍들어 있다.
   ○ • one of 복수 명사+단수 동사
     • all / most / some of 복수 명사+복수 동사

skill 03 ● 본문 20쪽

1 To practice hard / 열심히 연습하는 것은 당신의 기술을 향상시킨다.
2 Drinking enough water / 충분한 물을 마시는 것은 당신의

건강에 좋다.
3 Running / 달리기는 내가 가장 좋아하는 활동들 중 하나이다.
4 To fix my bike by myself / 내 자전거를 혼자 고치는 것은 쉽지 않다.
5 Traveling abroad / 해외로 여행하는 것은 우리에게 많은 기쁨을 준다.

어법

6 is / 매일 아침 규칙적으로 조깅하는 것은 좋다.
7 is / 친구들과 야구를 하는 것은 재밌다.
   ○ 주어로 쓰인 to부정사(구)나 동명사(구)는 단수 취급한다.

skill 04 ● 본문 21쪽

1 me와 was 사이 / 그가 나에게 거짓말을 했다는 것은 충격적이었다.
2 round와 is 사이 / 지구가 둥글다는 것은 사실이다.
3 singer와 is 사이 / Maria가 훌륭한 가수라는 것은 잘 알려져 있다.
4 me와 surprised 사이 / 우리 엄마가 나를 꾸짖지 않았다는 것은 나를 놀라게 했다.
5 island와 is 사이 / 그 섬에 많은 금이 있다는 것은 (근거 없는) 소문이다.

어법

6 is / 카페인이 당신의 수면에 영향을 미칠 수 있다는 것은 분명하다.
7 is / 그가 오늘밤 그 행사에 올 것이라는 것은 확실하다.
   ○ 주어로 쓰인 that절은 단수 취급한다.

skill 05 ● 본문 22쪽

1 제 시간에 그 일을 끝내는 것은 불가능하다.
2 그녀를 집에 데려다주는 것이 내 의무이다.
3 어둠 속에서 너무 빠르게 운전하는 것은 위험하다.
4 학교에서 규칙을 지키는 것은 중요하다.
5 야구장에서 야구 경기를 보는 것은 신나는 일이다.

어법

6 It / 스키 타는 법을 배우는 것은 쉽지 않다.
7 to read / '해리포터'를 영어로 읽는 것은 어렵지 않았다.
   ○ 가주어 It은 주어 자리에 쓰고 진주어인 to부정사구는 뒤에 쓴 형태의 문장이다.

1 for you / 네가 우산을 가져오는 것이 필요하다.
2 for us / 우리가 농구 경기를 이기는 것은 불가능했다.
3 of him / 그렇게 말하다니 그는 무례했다.
4 for young people / 요즘 젊은 사람들이 일자리를 구하는 것은 어렵다.
5 of Jake / 나에게 감사 편지를 보내다니 Jake는 친절했다.

어법

6 for / 그녀가 아기를 웃게 만드는 것은 어려웠다.
   ◎ to부정사의 의미상 주어는 보통 〈for+명사(목적격)〉로 나타낸다.
7 of / 자동차 열쇠를 잃어버리다니 너는 부주의했다.
   ◎ 사람의 성격·태도를 나타내는 형용사 careless가 쓰였으므로, to부정사의 의미상 주어는 〈of+명사〉로 나타낸다.

1 운전자들이 교통 신호를 지키는 것은 중요하다.
2 우리가 점심 식사 후에 산책을 하는 것은 좋은 생각이다.
3 한 번의 선택이 당신의 삶 전체를 바꿀 수 있다는 것은 사실이다.
4 그가 올림픽에서 금메달을 땄던 것은 놀라웠다.
5 그녀가 3개 국어를 말할 수 있다는 것은 놀랍다.

어법

6 that / 그가 파티에 올 것인지는 불확실하다.
7 It / 그가 밤에 이곳에서 뛰어다닌다는 것은 이상하다.
   ◎ 가주어 It은 주어 자리에 쓰고 진주어인 that절은 뒤에 쓴 형태의 문장이다.

CHAPTER 01 Exercise 본문 25쪽

A 01 It 02 is 03 is 04 of 05 the others
B 01 ⓐ 02 ⓑ 03 ⓒ 04 ⓑ 05 ⓐ
C 01 To travel all around the world / 여행하는 것은 나의 꿈이다
  02 that people should wait in line for their turn / 차례를 위해 줄을 서서 기다려야 한다는 것이 내 의견이다
  03 for her to prepare the breakfast / 그녀가 아침 식사를 준비하는 것은

04 Most of the girls / 여자아이들 대부분이 파티에 특별한 드레스를
D 01 Some like cats and others prefer dogs.
  02 It is necessary to follow the doctor's advice.
  03 All of the children wanted to go to the amusement park.
  04 Saving energy for the future is not easy.

A
01 산꼭대기에 오르는 것은 어렵다.
   ◎ 진주어인 to부정사구를 대신하는 가주어는 It이다.
02 그녀의 방에 있는 모든 가구가 낡았다.
   ◎ 「all of+셀 수 없는 명사」는 단수 취급한다.
03 시간이 흐르면서 아이큐가 바뀔 수 있다는 것은 사실이다.
   ◎ 문장의 주어로 that절이 오면 단수 취급한다.
04 나에게 길을 알려주다니 그녀는 매우 친절했다.
   ◎ 사람의 성격·태도를 나타내는 형용사 nice가 쓰였으므로, to부정사의 의미상 주어는 〈of+명사〉로 나타낸다.
05 우리 반에는 30명의 학생들이 있다. 그들 중 12명은 여자아이들이고 나머지는 남자아이들이다.
   ◎ 정해진 범위 내에서 나머지를 가리키는 표현은 the others이다.
B
01 우리가 앞으로 나아가는 것은 중요하다.
02 네가 바다에서 수영하는 것은 위험하다.
03 그녀가 내 다이아몬드 반지를 훔쳤던 것은 사실이다.
04 현관을 열어놓다니 그는 부주의했다.
05 짧은 낮잠을 자는 것은 당신의 집중에 도움이 될 수 있다.

CHAPTER 02 목적어

1 그녀는 가을에 스페인을 여행하기를 원했다.
2 고양이는 쥐를 쫓는 것을 포기했다.
3 그들은 종로에 있는 한 식당에서 만나기로 동의했다.
4 우리는 공기가 맑지 않을 때 밖에 머무는 것을 피해야 한다.
5 몇 시간 전에 비가 세차게 내리기 시작했다.

6 to buy / 내 남동생은 새 노트북 컴퓨터를 사기로 계획했다.
   ● plan은 to부정사만을 목적어로 쓰는 동사이다.
7 playing / Tom과 Jerry는 함께 체스 두는 것을 즐겼다.
   ● enjoy는 동명사만을 목적어로 쓰는 동사이다.

---

skill 09
● 본문 29쪽

1 seeing you in Paris last year / 나는 작년에 파리에서 너를 봤던 것을 기억한다.
2 to memorize English words / Jake는 영어 단어들을 암기하려고 노력했다.
3 lending me her umbrella / Kate는 내게 우산을 빌려주었던 것을 잊었다.
4 to buy a ticket for the final game tomorrow / 내일 결승전 표를 살 것을 기억해라.

어법

5 to pick / Luke는 열쇠를 떨어뜨렸다. 그는 그것을 줍기 위해 멈췄다.
   ● stop+to부정사: ~하기 위해 멈추다
6 playing / 그녀는 부상 때문에 바이올린을 연주하는 것을 그만두었다.
   ● stop+동명사: ~하는 것을 멈추다[그만두다]

---

skill 10
● 본문 30쪽

1 나는 무엇을 먼저 해야 할지 모르겠다.
2 언제 버스에서 내려야 할지 제게 알려주세요.
3 우리는 어떤 길로 가야 할지 전혀 몰랐다.
4 나는 누구에게 투표해야 할지 결정할 수가 없다.

어법

5 how / Mike는 그 문제를 해결하는 방법을 알지도 모른다.
   ● 「how+to부정사」는 '어떻게 ~할지', '~하는 방법'으로 해석하며, 의문사 why는 to부정사 앞에 쓸 수 없다.
6 when / 상사는 그들에게 그 프로젝트를 언제 시작해야 할지 말해주었다.
   ● 「when+to부정사」: 언제 ~할지

---

skill 11
● 본문 31쪽

1 that whales are mammals / 우리는 고래가 포유류라는 것

을 안다.
2 that our team will win the game / 나는 우리 팀이 경기에서 이길 것이라고 믿는다.
3 her mom will get better soon / Jane은 그녀의 엄마가 곧 호전되기를 바란다.
4 that he would visit my house next week / Mike는 그가 다음 주에 우리 집을 방문할 것이라고 말했다.
5 that knowledge is power / 엄마는 항상 지식[아는 것]이 힘이라고 말씀하신다.

어법

6 explained와 an 사이 / 그녀는 구급차가 곧 올 것이라고 설명했다.
7 understood와 the 사이 / 나는 그 토론이 교육에 관한 것이라고 이해했다.
   ● 문장의 목적어로 접속사 that이 이끄는 절이 쓰일 경우, 접속사 that은 생략할 수 있다.

CHAPTER 02 Exercise
본문 32쪽

A 01 listening 02 to bring 03 that 04 who
   05 to lose
B 01 meeting 02 to see 03 entering 04 to win
   05 to eat 06 ⓓ 07 ⓑ 08 ⓐ 09 ⓐ 10 ⓒ
C 01 to bring your passport / 당신의 여권을 가져오는 것을
   02 that your son will pass the test / 네 아들이 시험에 통과하기를 바란다
   03 playing the flute / 플루트를 연주하는 것을 멈추었다
   04 which story to believe / 어떤 이야기를 믿어야 할지 몰랐다
   05 turning off the light / 불을 꺼도 괜찮겠니
D 01 She stopped to pick up her wallet.
   02 I forgot putting my watch in the drawer.
   03 Steve continued to avoid answering that question.
   04 I heard that she was in trouble.
   05 Children want to learn how to run their own blogs.

A
01 Julie는 다양한 종류의 음악을 듣는 것을 즐긴다.
   ● enjoy는 동명사만을 목적어로 쓰는 동사이다.

02 나는 우산을 가져오는 것을 잊어서 젖었다.
- ◎ so 뒤에 이어지는 내용으로 보아, 우산을 가져오는 것을 잊었다는 뜻이 되어야 하므로 to부정사가 알맞다.

03 우리는 지구가 둥글다는 것을 안다.
- ◎ the earth is round라는 절을 이끌 수 있는 접속사는 that이다.

04 나는 더 이상 누구를 신뢰해야 할지 정말로 모르겠다.
- ◎ 「who+to부정사」는 '누가[누구를/누구에게] ~할지'라는 뜻이며, 의문사 why는 to부정사 앞에 쓸 수 없다.

05 Teddy는 체중을 줄이기로 결심했다.
- ◎ decide는 to부정사만을 목적어로 쓰는 동사이다.

B

01 나는 지난 달에 너를 서울에서 만났던 것을 여전히 기억한다.
02 나는 그 유명한 가수를 보기를 희망한다.
03 Janet은 음악 대회에 참가하는 것을 포기했다.
04 아빠는 그 상을 타기를 기대했다.
05 건강하기 위해서는 더 많은 야채를 먹으려고 노력해라.
06 나는 내일 어디에서 그 과일을 사야 할지 알기를 원한다.
07 우리는 무엇을 먼저 해야 할지 선택해야 한다.
08 Judy는 그녀가 나의 강아지들을 돌볼 것이라고 말했다.
09 Lucy는 Jerry가 곤경에 처한 그녀를 도와줄 것이라고 믿었다.
10 나에게 언제 런던으로 출발해야 하는지를 말해줘.

CHAPTER 03 보어

skill **12**   ◎ 본문 36쪽

1 collecting pictures of movie stars / Jessica의 취미는 영화배우들의 사진을 모으는 것이다.
2 answering phones at a pizza shop / 그의 직업은 피자 가게에서 전화를 받는 것이다.
3 eating out with family / 삶의 기쁨 중 하나는 가족과 함께 외식을 하는 것이다.
4 complaining / 너의 나쁜 습관은 불평하는 거야, 그리고 넌 지금 불평하고 있어.
5 meeting new people / 내가 파티에 대해 가장 좋아하는 점은 새로운 사람들을 만나는 것이다.

어법

6 winning / 나의 목표는 상금을 타는 것이다.
- ◎ 동사가 문장의 주격 보어로 쓰이려면 동명사(v-ing)의 형태가 되어야 한다.

7 not listening / 그의 문제는 부모님의 말씀을 듣지 않는다는 것이다.
- ◎ 동명사의 부정형은 동명사 앞에 not을 써서 나타낸다.

skill **13**   ◎ 본문 37쪽

1 to live in a house with a garden / 내 꿈은 정원이 있는 집에서 사는 것이다.
2 to get married / 그녀의 올해 소망은 결혼하는 것이다.
3 to break this code within an hour / 너의 임무는 이 암호를 한 시간 안에 해독하는 것이다.
4 to study music at university / Ellie의 원래 계획은 대학에서 음악을 공부하는 것이었다.
5 to stay positive and to keep trying / 학생들을 위한 그의 충고는 긍정적인 자세를 유지하고 계속 노력하라는 것이다.

어법

6 taking, to take / 왕의 의무는 그의 백성들을 돌보는 것이다.
- ◎ 동사가 문장의 주격 보어로 쓰이려면 동명사(v-ing) 또는 to부정사(to+동사원형)의 형태가 되어야 한다.

7 to serve / 우리 학교 교훈은 '사랑하고 봉사하기'이다.
- ◎ 등위접속사 and에 의해 to부정사가 병렬로 연결된 구조이므로, to serve가 되어야 한다.

skill **14**   ◎ 본문 38쪽

1 boring / 처음에는 그 영화가 지루해 보였다.
2 very embarrassing / 나의 졸업앨범 사진은 매우 당혹스럽다.
3 annoying / 그 운전사의 큰 목소리는 승객들에게 짜증스러웠다.
4 exciting / 탁자 위에 있는 모든 보드게임은 흥미진진해 보인다.

어법

5 pleasing / 훌륭한 식사는 모두에게 즐겁다.
- ◎ 훌륭한 식사가 '즐거운' 감정을 일으키는 것이므로, 주격 보어 자리에 현재분사 pleasing이 알맞다.

6 disappointing / 마지막 결정은 그에게 실망스러웠다.
- ◎ 마지막 결정이 '실망스러운' 감정을 일으키는 것이므로, 주격 보어 자리에 현재분사 disappointing이 알맞다.

○ 본문 39쪽

1 행진 후에 군인들은 매우 피곤해졌다.
2 관객들은 그 공연에 놀란 것처럼 보였다.
3 대부분의 아이들은 교장 선생님의 긴 연설에 지루해졌다.
4 당신은 당신의 삶에 만족을 느끼십니까?

어법

5 surprised / 그녀는 그의 갑작스러운 등장에 놀란 것처럼 보였다.
   ○ 주어인 그녀가 '놀란' 감정을 느끼는 것이므로, 주격 보어 자리에 과거분사 surprised를 쓴다.
6 interested / 당신은 어떻게 제빵에 관심을 갖게 되었나요?
   ○ 주어인 당신이 '관심 있어 하는' 감정을 느끼는 것이므로, 주격 보어 자리에 과거분사 interested를 쓴다.

○ 본문 40쪽

1 to give him a ride to school / John은 엄마에게 자신을 학교에 태워달라고 부탁했다.
2 to get worse / 두꺼운 화장은 당신의 여드름이 악화되게 할 수 있다.
3 to believe you / 너는 내가 널 믿기를 기대하니?
4 to stay out late / 그녀의 부모님은 그녀가 늦게까지 외출하도록 허락하지 않는다.
5 not to be late again / 선생님은 내게 다시는 늦지 말라고 말씀하셨다.

어법

6 to give up / 그 의사는 그에게 흡연을 그만두라고 충고했다.
   ○ 동사 advise는 to부정사를 목적격 보어로 취하는 동사이다.
7 not to drive / 그녀는 내게 너무 빨리 운전하지 말라고 경고했다.
   ○ to부정사의 부정형을 나타낼 때는 not을 to부정사의 바로 앞에 붙인다.

○ 본문 41쪽

1 ring in my bag / 나는 내 전화기가 내 가방 안에서 울리는 것을 들었다.
2 beat / 그들은 그들의 아기의 심장이 뛰는 것을 들었다.
3 shake / 너는 땅바닥이 흔들리는 것을 느꼈니?
4 stare at her for a long time / 그녀는 그가 자신을 오랫동안 쳐다보고 있는 것을 알아차리지 못했다.

5 dozing off on the couch / 그는 고양이 한 마리가 소파에서 졸고 있는 것을 보았다.

어법

6 burn / 그녀는 뭔가가 부엌에서 타는 냄새를 맡았다.
   ○ 지각동사 smell은 목적격 보어로 동사원형이나 현재분사(v-ing)를 쓴다.
7 eating / 저 아기 판다들이 대나무를 먹고 있는 것을 봐!
   ○ 진행의 의미를 강조할 때는 지각동사의 목적격 보어로 현재분사(v-ing)를 쓴다.

○ 본문 42쪽

1 ride his bike / Fred는 내게 그의 자전거를 타도록 허락해주었다.
2 call you back / 그녀가 너에게 다시 전화하도록 할게.
3 rewrite their papers / 그 선생님은 모든 학생들이 과제물을 다시 쓰도록 만들었다.
4 go to the ski camp / 그의 엄마는 그가 스키 캠프에 가도록 허락해주지 않았다.
5 change the tire on the car / Bob은 내가 차의 타이어를 바꾸는 것을 도와주었다.

어법

6 fax / 그는 자신의 비서가 그 정보를 팩스로 보내도록 했다.
   ○ 사역동사 have는 동사원형을 목적격 보어로 취한다.
7 look, to look / 너는 내가 열쇠를 찾는 것을 도와줄 수 있니?
   ○ 준사역동사 help는 to부정사와 동사원형을 둘 다 목적격 보어로 취한다.

CHAPTER 03 Exercise
본문 43쪽

A 01 boring   02 call   03 to line up   04 surprised
   05 burn
B 01 ⓐ   02 ⓑ   03 ⓐ   04 ⓑ   05 ⓐ
C 01 really worried / 나의 미래가 정말 걱정된다
   02 to turn off their cell phones / 모두에게 그들의 휴대전화를 끌 것을
   03 wear a school uniform / 학생들에게 교복을 입게 한다
   04 to design web pages / 웹 페이지를 디자인하는 것이다

D 01 We want you to stay longer.
02 The policeman made me pay a fine.
03 She seemed satisfied with his answer.
04 She felt tears roll down her cheeks.

A

01 그의 수업은 매우 지루했다.
   ◐ 그의 수업이 '지루한' 감정을 일으키는 것이므로, 주격 보어 자리에 현재분사 boring을 쓴다.
02 나는 누군가가 내 이름을 부르는 소리를 들었다.
   ◐ 지각동사 hear는 목적격 보어로 동사원형이나 현재분사(v-ing)를 쓴다.
03 Miller 선생님은 학생들에게 줄을 서라고 말씀하셨다.
   ◐ 동사 tell은 to부정사를 목적격 보어로 취한다.
04 나는 기나긴 쇼핑객들의 줄에 놀랐다.
   ◐ 주어인 내가 '놀란' 감정을 느끼는 것이므로, 주격 보어 자리에 과거분사 surprised를 쓴다.
05 이런! 내가 오븐의 닭이 타도록 내버려 두었네.
   ◐ 사역동사 let은 동사원형을 목적격 보어로 취한다.

B

01 이 광고는 매우 짜증난다.
02 음주운전은 당신이 운전면허증을 잃게 할 수도 있습니다.
03 내가 가장 좋아하는 활동은 농구하기이다.
04 나는 아빠가 차고에서 세차하는 것을 보았다.
05 중요한 것은 서로의 의견을 존중하는 것이다.

CHAPTER 04 시제와 수동태

skill 19 ◐ 본문 46쪽

1 비가 방금 그쳤다.
2 나는 내 인생에서 한 번 윈드서핑을 시도해보았다.
3 나는 내가 주문한 물품을 아직 받지 못했다.
4 그는 결코 시험에서 부정행위를 해 본 적이 없다.
5 너는 오토바이를 타 본 적이 있니?

어법

6 before / 나는 그 배우를 전에 본 적이 있다.
   ◐ 현재완료는 a month ago와 같은 과거의 특정 시점을 나타내는 부사구와 함께 쓸 수 없다.

7 bought / 나는 이 차를 작년에 샀다.
   ◐ last year라는 명백한 과거를 나타내는 부사가 왔으므로 현재완료가 아니라 과거시제가 와야 한다.

skill 20 ◐ 본문 47쪽

1 나는 이곳에서 2013년 이래로 일해왔다.
2 엄마는 시장에서 그녀의 지갑을 잃어버렸다(그래서 지금은 지갑이 없다).
3 당신은 얼마나 오랫동안 이 휴대 전화를 사용해왔나요?
4 Jessica는 뉴욕으로 가버렸다(그래서 지금 여기에 없다).
5 내 삶의 모든 실패는 나를 더 강하게 만들어왔다.

어법

6 since / 나는 작년 이래로 그로부터 소식을 듣지 못해왔다.
   ◐ 괄호 뒤에 과거 시점 last year가 나오므로 '~이래로'를 뜻하는 since가 알맞다.
7 for / 유대인들은 이 전통을 3,000년이 넘는 시간 동안 지켜왔다.
   ◐ 괄호 뒤에 over 3,000 years라는 기간이 나오므로 '~동안'을 뜻하는 for가 알맞다.

skill 21 ◐ 본문 48쪽

1 이 꽃들은 정원사에 의해서 매일 저녁 물이 주어진다.
2 성 Patrick의 날은 전 세계 사람들에 의해 기념된다.
3 여름에 이 장소는 수천 명의 관광객에 의해 방문된다.
4 많은 돈이 회사에 의해 광고에 쓰여진다.
5 이 젊은 남성 밴드는 많은 십 대 소녀들에 의해 사랑받는다.

어법

6 is checked / 수질은 정기적으로 점검된다.
   ◐ 주어가 동작을 받는 대상이므로 수동태 is checked가 알맞다.
7 is spoken / 스페인어는 스페인과 멕시코, 그리고 대부분의 남미 국가들에서 사용된다.
   ◐ 주어가 동작을 받는 대상이므로 수동태 is spoken이 알맞다.

skill 22 ◐ 본문 49쪽

1 그 개는 차에 치었다.
2 300명 이상의 사람들이 Georgia에서 토네이도에 의해 부상당했다.

3 도로는 눈으로 인하여 이미 봉쇄되었다.
4 허브는 수백 년 동안 치료를 위해 사용되어왔다.
5 그 피아노는 그녀에 의해 연주될 것이다.

어법

6 stolen / 이 차는 도난당하지 않을 것이다. 그건 너무 오래되었다.
7 will not be solved / 그 문제는 쉽게 해결되지 않을 것이다.
  ➡ 미래시제 수동태의 부정형은 「주어＋will not be p.p.＋(by＋행위자)」이다.

CHAPTER 04 Exercise 본문 50쪽

A 01 once 02 since 03 is produced
  04 will not be broken 05 have never traveled
B 01 ⓓ 02 ⓑ 03 ⓒ 04 ⓐ 05 ⓓ
  06 ⓐ 07 ⓑ 08 ⓐ 09 ⓑ 10 ⓑ
C 01 만난 적이 있니
  02 친구 사이로 지내왔다
  03 나뉘어졌다[분단되었다]
  04 개봉되지 않았다
  05 일어난다
D 01 This writer's articles are read by many people.
  02 The novel was translated into more than 10 languages.
  03 She has been in her room since this morning.
  04 The products will not be sold online.
  05 I have not read his letter yet. (I have not yet read his letter.)

A
01 나는 하와이에 한 번 가 본 적이 있다.
  ➡ 현재완료는 last summer와 같은 과거의 특정 시점을 나타내는 부사구와 함께 쓸 수 없다.
02 나의 아빠는 지난 주 이래로 바빴다.
  ➡ 네모 뒤에 과거 시점 last week가 나오므로 '~이래로'를 뜻하는 since가 알맞다.
03 최고의 치즈는 프랑스에서 생산된다.
  ➡ 주어가 동작을 받는 대상이므로 수동태 「be p.p.」의 형태가 알맞다.
04 이 유리는 쉽게 깨지지 않을 것이다.
  ➡ 미래시제 수동태의 부정형은 「주어＋will not be p.p.＋(by＋행위자)」이다.

05 나는 한 번도 해외여행을 해 본 적이 없다.
  ➡ '(한 번도) ~한 적이 없다'라는 말은 「have[has]＋never＋p.p.」의 어순으로 쓴다.
B
01 Lisa는 두 주 동안 심한 감기를 앓아왔다.
02 당신은 첫눈에 사랑에 빠져 본 적이 있나요?
03 앗! 다리를 다친 것 같아!
04 시험은 이미 끝났다.
05 당신은 얼마나 오랫동안 바이올린을 연주해왔나요?
06 정비공이 브레이크를 정기적으로 점검한다.
07 이 포도의 대부분은 캘리포니아에서 재배된다.
08 황제는 그의 아내를 추모해서 타지마할을 지었다.
09 그 프로젝트는 내일까지 끝날 것이다.
10 그 케이크의 마지막 조각이 나의 개에 의해 먹혔다(그 케이크의 마지막 조각을 나의 개가 먹었다).

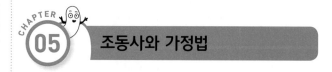

CHAPTER 05 **조동사와 가정법**

skill 23 ◉ 본문 54쪽

1 나는 매달 야구장에 가곤 했다.
2 우리는 주말마다 수족관에서 데이트하곤 했다.
3 Linda는 자신의 머리카락에 향수를 뿌리곤 했다.
4 그 언덕에는 큰 나무가 한 그루 있었다.
5 나의 아빠는 핼러윈 때마다 호박을 조각하곤 했다.

어법

6 go / Jake는 가까운 산에 등산을 가곤 했다.
  ➡ used to 뒤에는 동사원형이 온다.
7 used to / 이 해변에는 하얀색 등대가 있었다.
  ➡ 과거의 상태를 나타낼 때는 used to를 사용한다.

skill 24 ◉ 본문 55쪽

1 우리는 그의 충고를 듣는 게 좋겠다.
2 나는 새 옷을 사느니 차라리 돈을 저축하겠다.
3 나는 이렇게 나쁜 날씨에는 차라리 드라이브를 하러 가지 않겠다.
4 너는 밤늦게 그녀에게 전화하지 않는 게 좋겠다.
5 나는 치통으로 고생하느니 차라리 치과에 가겠다.

6 would rather not / 나는 독감 때문에 차라리 외출하지 않겠다.
   ○ would rather의 부정형은 would rather not으로 쓴다.
7 had better not / Anne은 머리 모양을 바꾸지 않는 게 좋겠다.
   ○ had better의 부정형은 had better not으로 쓴다.

skill 25 ○ 본문 56쪽

1 나는 전문가로부터 조언을 좀 얻고 싶다.
2 그 록 밴드는 음악 축제에 참여하고 싶어 한다.
3 너는 내일 소풍 가는 데 우리와 함께 하고 싶니?
4 우리는 여행 중에 그 호텔에서 머물고 싶다.
5 너는 점심 식사로 무엇을 먹고 싶니?

어법

6 eat some snacks / 너는 약간의 간식을 먹고 싶니?
   ○ would like to가 쓰였으므로 to 뒤에는 동사원형 eat이 와야 한다.
7 to watch / 그들은 오늘 밤 공포 영화를 보고 싶어 한다.
   ○ '~하고 싶다'라는 뜻의 표현은 「would like to+동사원형」이다.

skill 26 ○ 본문 57쪽

1 만약 내가 친구를 갖고 있지 않다면, 나는 매우 외로울 텐데.
2 만약 내가 많은 양의 일을 갖고 있지 않다면, 나는 헬스클럽에 갈 수 있을 텐데.
3 만약 네가 건강하다면, 너는 긴 여행을 할 수 있을 텐데.
4 만약 Sam이 큰 여행 가방을 갖고 있다면, 그는 그것을 내게 빌려줄 텐데.
5 만약 Allen이 교장이라면, 그는 학생들이 밖에서 놀도록 허락할 텐데.

어법

6 had / 만약 내가 딸을 갖고 있다면, 나는 그녀와 함께 쇼핑을 갈 텐데.
7 were / 만약 내가 결혼하지 않았다면, 내 삶은 매우 지루할 텐데.
   ○ if절 뒤에 이어지는 주절의 동사가 「조동사의 과거형+동사원형」의 형태인 것으로 보아, 가정법 과거 문장임을 알 수 있다. 가정법 과거 문장에서 if절의 동사는 과거형으로 쓴다. be동사일 경우 were로 쓴다.

skill 27 ○ 본문 58쪽

1 만약 그녀가 거기에 있었다면, 그녀는 그를 만났을 텐데.
2 만약 날씨가 좋았다면, 그들은 행사를 취소하지 않았을 텐데.
3 만약 네가 학생증을 보여주었다면, 너는 할인을 받을 수 있었을 텐데.
4 만약 내가 내 돈을 전부 쓰지 않았다면, 나는 그 반지를 살 수 있었을 텐데.

어법

5 had fastened / 만약 그들이 안전벨트를 맸다면, 그들은 그 사고에서 살아남았을 텐데.
   ○ if절 뒤에 이어지는 주절의 동사가 「조동사의 과거형+have p.p.」의 형태인 것으로 보아, 가정법 과거완료 문장임을 알 수 있다. 가정법 과거완료 문장에서 if절의 동사는 「had p.p.」로 쓴다.
6 have become / 만약 내가 기자가 되지 않았다면, 나는 작가가 되었을 텐데.
   ○ if절의 동사가 「had p.p.」의 형태인 것으로 보아, 가정법 과거완료 문장임을 알 수 있다. 가정법 과거완료 문장에서 주절의 동사는 「조동사의 과거형+have p.p.」로 쓴다.

CHAPTER 05 Exercise 본문 59쪽

A 01 had better not 02 to drink
  03 were 04 used to 05 have watched
B 01 ⓑ 02 ⓐ 03 ⓒ 04 ⓐ 05 ⓒ
C 01 그러한 질문에는 차라리 대답하지 않겠다
  02 신문 배달 서비스를 이용하고 싶다
  03 덥지 않았다면, 테니스를 쳤을 텐데
  04 배고프다면, 나는 그 음식을 전부 먹을 수 있을 텐데
D 01 You had better not take the medicine now.
  02 I used to play basketball with my friends on weekends.
  03 If he had free time, he would spend it with his family.
  04 If she had helped me, I could have completed the mission.

A
01 그들은 시간을 낭비하지 않는 게 좋겠다.
   ○ had better의 부정형은 had better not이다.
02 너는 달콤한 무언가를 마시고 싶니?
   ○ '~하고 싶다'라는 뜻의 표현은 「would like to+동사원

형」이다.

03 만약 내가 네 입장이 된다면, 나는 당장 그 일을 할 텐데.
- 🔵 if절 뒤에 이어지는 주절의 동사가 「조동사의 과거형＋동사원형」의 형태인 것으로 보아, 가정법 과거 문장임을 알 수 있다. 가정법 과거 문장에서 if절의 be동사는 were로 쓴다.

04 여기에 이탈리아 식당이 있었다.
- 🔵 과거의 상태를 나타낼 때는 used to를 사용한다.

05 만약 그녀가 피곤하지 않았다면, 그녀는 그 TV 쇼를 보았을 텐데.
- 🔵 if절의 동사가 「had p.p.」의 형태인 것으로 보아, 가정법 과거완료 문장임을 알 수 있다. 가정법 과거완료 문장에서 주절의 동사는 「조동사의 과거형＋have p.p.」로 쓴다.

B

01 오늘은 날이 춥다. 너는 밖에서 놀지 않는 것이 좋겠다.

02 Jerry는 어렸을 때 삼촌의 집을 매주 토요일마다 방문하곤 했다.

03 너는 오늘 밤에 외식하고 싶니?

04 Sora는 강을 따라 자전거를 타곤 했다.

05 나는 너와 함께 이 문제를 논의하고 싶다.

CHAPTER 06 수식어구

skill 28
🔵 본문 62쪽

1 to learn a language / 독서는 언어를 배우는 가장 좋은 방법이다.

2 to read on the train / 나는 기차에서 읽을 책 몇 권을 챙겼다.

3 to drink / 따뜻한 마실 것 좀 드시겠어요?

4 to sit on / 우리는 앉을 수 있는 빈 벤치를 발견했다.

5 to live in with his family / 그는 가족과 함께 살 집을 샀다.

어법

6 to play with / 나의 개는 갖고 놀 장난감이 필요하다.

7 to write on / 그는 내게 적을 수 있는 종이 한 장을 주었다.
- 🔵 to부정사 앞에 쓰인 명사(구)가 전치사의 목적어일 경우, to부정사 뒤에 전치사를 써야 한다.

skill 29
🔵 본문 63쪽

1 excited / 그가 무대 위로 걸어오자 흥분한 팬들은 소리를 질렀다.

2 surprising / 나는 그 놀라운 소식을 듣고 의자에서 떨어질 뻔했다.

3 waiting outside the restaurant / 식당 밖에서 기다리는 많은 사람들이 있다.

4 baked in the morning / 아침에 구워진 모든 빵은 이미 다 팔렸다.

5 dancing in front of the camera / 카메라 앞에서 춤추고 있는 소녀는 누구니?

어법

6 bored / 지루해진 학생들은 졸기 시작했다.
- 🔵 수식 받는 명사인 학생들이 '지루한' 감정을 느낀 대상이므로 과거분사 bored가 적절하다.

7 tiring / 나는 피곤한 하루를 보내고 마침내 좀 쉬었다.
- 🔵 하루가 '피곤'을 느끼게 하는 주체이므로 현재분사 tiring이 적절하다.

skill 30
🔵 본문 64쪽

1 그녀는 약간의 채소를 사기 위해 식료품점에 갔다.

2 아이들은 놀이공원에 가서 신이 났다.

3 그 소년은 자라서 훌륭한 과학자가 되었다.

4 너와 같은 좋은 친구를 두다니 나는 운이 좋아.

5 그는 깨어 있으려고 열심히 노력했지만, 결국 잠이 들었다.

어법

6 so as to / 그녀는 좋은 자리를 차지하기 위해 일찍 도착했다.
- 🔵 '하기 위해서'의 뜻으로 목적을 나타내는 말은 so as to이다.

7 in order not to / 그들은 아이들을 깨우지 않기 위해 조용히 이야기했다.
- 🔵 목적을 나타내는 to부정사의 부정은 「(in order) not to＋동사원형」의 형태로 쓰인다.

skill 31
🔵 본문 65쪽

1 그 고양이는 너무 살쪄서 문을 통과할 수 없다.

2 그 강물은 너무 차가워서 수영할 수 없었다.

3 경호원들은 너무 늦게 도착해서 도둑을 잡을 수 없었다.

4 이 드레스는 너무 꽉 끼어서 내가 입을 수 없다.

5 그 피아노는 너무 무거워서 그가 위층으로 운반할 수 없다.

어법

6 too / 차가 너무 뜨거워서 마실 수 없다.
- 「too ~ to부정사」는 '너무 ~해서 …할 수 없다'의 의미이다.
7 so / 그 소년은 너무 아파서 학교에 갈 수 없었다.
- 「so ~ that+주어+can't[couldn't]+동사원형」은 '너무 ~해서 …할 수 없다'의 의미이다.

---

skill 32　　　　　　　　　　　　　　◑ 본문 66쪽

1 Eric은 운전할 만큼 충분히 나이가 들었다.
2 그 소녀는 전등 스위치에 닿을 만큼 충분히 키가 크지 않았다.
3 그는 그 상자를 옮길 만큼 충분히 힘이 세다.
4 나는 면접을 준비할 충분한 시간을 갖고 있지 않다.
5 그는 나를 한 시간 동안 기다릴 만큼 충분히 참을성이 있었다.

어법

6 so rich / 그는 리무진을 살 수 있을 만큼 충분히 부유했다.
7 so / 이 책은 내가 읽을 수 있을 만큼 충분히 쉽다.
- 「so ~ that+주어+can[could]+동사원형」은 '…할 만큼 충분히 ~한'의 의미를 나타낸다.

CHAPTER 06 **Exercise**　　　　本文 67쪽

A 01 water to drink　02 worrying　03 to be
　04 too　05 tall enough
B 01 ⓐ　02 ⓐ　03 ⓑ　04 ⓐ　05 ⓑ
C 01 frightened / 겁이 난
　02 to hand in the exam papers / 시험지를 제출한
　03 to ski on / 스키를 탈
　04 coming over there / 저기 오고 있는
D 01 He awoke to find himself in a hospital bed.
　02 They ran out of the burning building.
　03 She was too nervous to answer the question.
　04 The pool is deep enough to dive in.

A
01 마실 물 좀 주세요.
- to부정사가 명사를 수식할 때는 뒤에서 수식한다.
02 그 설문 조사는 몇 개의 걱정스런 결과를 보여주었다.
- 설문 조사가 '걱정'을 느끼게 하는 주체이므로 현재분사가 적절하다.

03 그 소녀는 자라서 훌륭한 여배우가 되었다.
- grow up 뒤에 to부정사가 쓰여 결과를 나타낼 수 있다.
04 그녀는 너무 피곤해서 집에 걸어갈 수 없었다.
- '너무 ~해서 …할 수 없다'는 「too ~ to부정사」를 사용한다.
05 그는 농구팀에 들어갈 만큼 충분히 키가 크다.
- '…할 만큼 충분히 ~한'은 「~ enough+to부정사」를 사용하고 enough 앞에 형용사나 부사가 온다.
B
01 나는 음악가가 되기 위해 음악 학교에 입학했다.
02 나는 몇 권의 책을 반납하기 위해서 도서관에 갔다.
03 그 소년은 자라서 무용수가 되었다.
04 David는 반에서 최고의 학생이 되기 위해서 열심히 공부했다.
05 신이 난 해적들은 보물 상자를 열었지만, 결국 그것이 비어 있는 것을 발견했다.

CHAPTER 07　**명사절**

skill 33　　　　　　　　　　　　　　◑ 본문 70쪽

1 주어 / 네가 한 다리로 뛴다는 것은 위험하다.
2 보어 / 문제는 우리가 충분한 돈을 갖고 있지 않다는 것이다.
3 목적어 / 많은 사람들은 그녀가 금메달을 따기를 기대했다.
4 보어 / 중요한 것은 구성원들이 서로를 존중해야 한다는 것이다.

어법

5 ② / 그는 자신이 3개월 내에 그 탑을 지을 수 있다고 생각했다.
- that절이 동사 thought의 목적어로 쓰인 문장으로, 접속사 that은 절의 주어인 he 앞에 와야 한다. 이때 that은 생략할 수 있다.
6 ③ / 그녀가 언어에 재능이 있다는 것은 분명했다.
- 주어인 that절이 문장 뒤로 가고 맨 앞에는 가주어 It이 온 형태이다. 접속사 that은 절의 주어인 she 앞에 와야 한다.

---

skill 34　　　　　　　　　　　　　　◑ 본문 71쪽

1 나는 그것이 유령일지도 모른다는 생각에 무서웠다.

2 나는 하와이에서 큰 화산이 분출했다는 소식을 들었다.

3 나는 Jack이 내 돈을 훔쳤다는 소문을 믿지 않는다.

4 모든 사람들의 삶이 똑같은 가치를 갖고 있다는 의견은 옳다.

5 나는 내가 어떠한 어려움도 극복할 수 있다는 생각을 포기하지 않을 것이다.

어법

6 ① / 그가 나아질 것이라는 믿음이 그의 생명을 구했다.

➡ the belief 바로 뒤에 절(he would get better)이 이어지고 있으므로, he 앞에 명사절을 이끄는 접속사 that이 와야 한다.

7 ③ / 나는 그들의 제안을 받아들이겠다는 결정에 이르렀다.

➡ the decision 바로 뒤에 절(I would accept their offer)이 이어지고 있으므로, I 앞에 명사절을 이끄는 접속사 that이 와야 한다.

---

skill 35 ⊙ 본문 72쪽

1 문제는 누가 그 일을 끝낼 것인지이다.

2 요점은 그녀가 어떻게 돈을 벌었는지이다.

3 당신이 이 세상의 어디에서 사는지는 중요하지 않다.

4 우리가 얼마나 오랫동안 먹지 않고도 살아남을 수 있는지 당신은 아나요?

어법

5 was / 그녀가 왜 반지를 훔쳤는지는 수수께끼였다.

6 is / 다른 사람들이 당신에 대해서 뭐라고 생각하는지는 중요하지 않다.

➡ 의문사절이 주어로 쓰이면 항상 단수 취급하므로, 단수 동사가 와야 한다.

---

skill 36 ⊙ 본문 73쪽

1 What I want / 내가 원하는 것은 너의 사랑이다.

2 What she said / 그녀가 말했던 것은 나를 웃게 만들었다.

3 What he did / 그가 했던 것을 법률에 반하는 것이었다.

4 What they found on the island / 그들이 그 섬에서 찾은 것은 보물 상자였다.

5 What you have to do / 네가 해야 하는 것은 네 실수로부터 배우는 것이다.

어법

6 is / 내가 그 장소에 대해 마음에 드는 것은 그곳의 위치이다.

7 was / 나를 속상하게 만든 것은 나에 대한 그녀의 태도였다.

➡ 관계대명사 what이 이끄는 절이 주어로 쓰이면 항상 단수 취급하므로, 단수 동사가 와야 한다.

---

skill 37 ⊙ 본문 74쪽

1 너는 내가 말했던 것을 이해하지 못하는구나.

2 나에게 네 주머니 안에 있는 것을 보여줘.

3 왕은 백성들에게 자신이 그들에게 약속했던 것을 주었다.

4 당신은 당신이 하고 있는 것에 집중해야 한다.

5 네가 오늘 해야 할 것을 내일까지 미루지 마라.

어법

6 ~하는 것 / 나는 네가 영어로 쓴 것을 읽었다.

7 ~하는 것 / 내 친구인 Sally는 항상 내가 필요한 것을 내게 빌려준다.

➡ 두 문장 모두 관계대명사 what이 이끄는 절이 목적어로 쓰여 '~하는 것을'이라는 의미를 나타낸다.

---

skill 38 ⊙ 본문 75쪽

1 이것이 내가 내 인생에서 하길 원하는 것이다.

2 이 직업이 내가 생계를 위해 할 수 있는 것이다.

3 그것은 내가 무대 위에서 보여주고 싶은 것이다.

4 그 파란 셔츠는 그가 상점에서 샀던 것이었다.

5 이것이 아이슬란드의 14살 난 소녀에게 일어났던 것이다.

어법

6 what / 그 편지는 내가 찾아왔던 것이다.

➡ I have been looking for는 전치사 for의 목적어가 빠진 불완전한 절이므로, 해당 절 앞에는 관계대명사 what이 와야 한다.

7 what / 열린 마음은 우리가 우리의 사회를 위해 정말로 필요로 하는 것이다.

➡ we really need for our society는 동사 need의 목적어가 빠진 불완전한 절이므로, 해당 절 앞에는 관계대명사 what이 와야 한다.

CHAPTER 07 Exercise 본문 76쪽

A 01 is **02** that **03** how much the shoes are
　04 what **05** was

B 01 ⓒ **02** ⓑ **03** ⓐ **04** ⓒ **05** ⓑ

06 ⓐ **07** ⓒ **08** ⓑ **09** ⓒ **10** ⓐ

C **01** that I met him before / 내가 그를 전에 만났다는 것을 기억한다

02 what we add to make food sweet / 우리가 음식을 달콤하게 만들기 위해 첨가하는 것이다

03 What he likes best for breakfast / 아침 식사로 가장 좋아하는 것은 햄과 달걀이다

04 that he failed / 실패했다는 소식은 많은 사람들을 실망시켰다

05 When this picture was painted / 언제 그려졌는지는 아직 알려지지 않았다

D **01** He saves what he earns these days.(These days, he saves what he earns.)

02 What is beautiful is not always good.

03 Julie didn't tell the fact that she broke the vase.

04 It was surprising that she got a high score.

05 Tom is wondering how Kevin solved the problem.

A
01 우리가 병을 재활용해야 한다는 것은 중요하다.
   ◉ 주어로 쓰인 that절은 단수 취급하므로, 단수 동사 is가 와야 한다.
02 그가 살아 있다는 소문은 사실이다.
   ◉ he is alive는 내용상 명사 The rumor를 보충 설명하는 절이므로, 동격의 접속사 that이 와야 한다.
03 나는 그 신발의 가격이 얼마인지를 모른다.
   ◉ 의문사절의 어순은 「의문사(+주어)+동사~」이다.
04 당신이 나를 위해 한 것에 대해 감사드립니다.
   ◉ you have done for me는 동사 have done의 목적어가 빠진 불완전한 절이므로, 해당 절 앞에는 관계대명사 what이 와야 한다.
05 네가 어제 한 것은 잘못되었다.
   ◉ 관계대명사 what이 이끄는 절이 주어로 쓰이면 항상 단수 취급하므로, 단수 동사 was가 와야 한다.

B
01 그 소식은 내가 이미 들었던 것이다.
02 나는 그가 지난주에 잃어버렸던 것을 찾았다.
03 내게 필요한 것은 약간의 빵과 우유이다.
04 나의 문제는 머리카락이 빠지고 있다는 것이다.
05 나는 그녀가 원하는 것을 그녀에게 줄 것이다.
06 아무도 그의 소식을 듣지 못했다는 것은 이상한 일이다.
07 진짜 문제는 그 행사가 언제 개최될 것인가이다.

08 나는 그들이 왜 이곳에 있었는지를 알아냈다.
09 이 인형은 내가 조카에게 사준 것이다.
10 어떤 사람들에게 좋은 것이 다른 사람들에게는 좋지 않을 수도 있다.

CHAPTER 08 관계사절

skill 39　　　　　　　　　◉ 본문 80쪽

1 옆집에서 사는 여자는 미용사이다.
2 나는 무거운 가방을 들고 있는 노인을 도와드렸다.
3 우리 동아리에 가입하기를 원하는 사람은 누구나 환영이다.
4 Neil Armstrong은 달에 착륙한 최초의 사람이었다.

어법

5 takes / Ryan은 자연의 사진을 찍는 사진사이다.
   ◉ 선행사가 a photographer로 3인칭 단수이므로, 주격 관계대명사절의 동사도 3인칭 단수 동사인 takes가 알맞다.
6 are / 너는 거리에서 놀고 있는 소년들을 알고 있니?
   ◉ 선행사가 the boys로 복수이므로, 주격 관계대명사절의 동사도 복수 동사인 are가 알맞다.

skill 40　　　　　　　　　◉ 본문 81쪽

1 a bird [which stays up at night] / 올빼미는 밤에 깨어 있는 새이다.
2 a fruit [which is a symbol of long life] / 복숭아는 장수의 상징인 과일이다.
3 the eggs [which were in the refrigerator] / 냉장고에 있던 달걀이 어디에 있니?
4 The shuttle bus [that goes to the hotel] / 호텔까지 가는 셔틀버스는 매 시간 운행한다.

어법

5 that / 생명을 가진 모든 것은 언젠가는 죽을 것이다.
   ◉ 선행사가 -thing으로 끝나는 말인 경우 관계대명사 that을 쓴다.
6 that / 나는 길을 건너고 있는 한 소년과 개를 보았다.
   ◉ 선행사가 「사람+동물」인 경우 관계대명사 that을 쓴다.

1 the person [who I love] / 나는 내가 사랑하는 사람과 결혼하기를 원한다.
2 a man [who she didn't know] / 그녀는 모르는 남자로부터 전화를 받았다.
3 Some of the guests [who we invited] / 우리가 초대한 손님들 중 일부는 일찍 도착했다.
4 the guy [whom she dated in college] / 그녀는 대학 시절에 데이트했던 남자와 우연히 마주쳤다.

어법

5 whom / 그는 내가 기댈 수 있는 사람이다.
6 whom / 고통은 (그것으로부터) 우리가 많은 것을 배울 수 있는 스승이다.
　　◐ 「전치사+목적격 관계대명사」일 때는 who 대신 whom을 써야 한다.

1 네가 내게 추천해준 영화는 매우 재미있었다.
2 Judy가 산 드레스는 그녀에게 잘 맞지 않는다.
3 우리가 주문한 모든 요리들은 신선하고 맛있었다.
4 너는 신문에서 읽는 모든 것을 믿어서는 안 된다.

어법

5 in which / 네가 흥미 있는 주제를 선택해라.
　　◐ 관계대명사 that 앞에는 전치사를 쓸 수 없으므로, 「전치사+which」의 형태가 알맞다.
6 that I live in / 내가 사는 마을은 아주 작다.
　　◐ 관계대명사 that 앞에는 전치사를 쓸 수 없다.

1 a flower [whose name I didn't know] / 그는 내게 이름을 알지 못하는 꽃 한 송이를 주었다.
2 a jacket [whose design was very unique] / 그녀는 디자인이 매우 독특한 재킷을 발견했다.
3 the man [whose glasses she broke] / 그녀는 (자신이) 안경을 깨뜨린 그 남자에게 사과했다.
4 a singer [whose stage name is "Lady Gaga."] / 나는 예명이 'Lady Gaga'인 가수를 알고 있다.

어법

5 is / 목소리가 온화한 남자가 나를 불렀다.
6 face / 이곳은 방[객실]이 바다를 향하고 있는 호텔이다.
　　◐ 〈whose+명사〉 바로 뒤에 동사가 오면, 동사는 whose 뒤에 오는 명사의 수에 일치시킨다.

1 the time [when we must say goodbye] / 지금은 우리가 안녕이라고 말해야 할 때이다.
2 the month [when the new school year begins in Korea] / 3월은 한국에서 새 학년이 시작되는 달이다.
3 the year [when World War II broke out] / 1939년은 제2차 세계 대전이 발발한 해였다.
4 The season [when many grains become ripe] / 많은 곡식들이 익어가는 계절은 가을이다.
5 the moment [when I first saw you] / 나는 처음으로 널 보았던 순간을 아직도 기억해.

어법

6 when / 크리스마스는 예수님이 태어나신 날이다.
　　◐ 선행사 the day는 시간을 나타내므로, 관계부사 when 또는 on which가 알맞다.
7 at which / 7시 정각은 내가 일어나는 시간이다.
　　◐ 선행사 the time은 시간을 나타내므로, 관계부사 when 또는 at which가 알맞다.

1 모차르트가 태어났던 집은 지금은 박물관이다.
2 우리가 지난 여름에 머물렀던 호텔은 만족스러웠다.
3 도서관은 당신이 책을 빌릴 수 있는 장소이다.
4 이곳은 내가 아내에게 청혼했던 식당이다.
5 인도는 사람들이 여러 가지의 언어를 말하는 나라이다.

어법

6 where / 저것이 내가 양말을 보관하는 서랍이야.
　　◐ 선행사 the drawer는 장소를 나타내므로, 관계부사 where 또는 in which가 알맞다.
7 in which / 서울은 나의 가족이 살고 있는 도시이다.
　　◐ 선행사 the city는 장소를 나타내므로, 관계부사 where 또는 in which가 알맞다.

A **01** laughs **02** that **03** to which **04** whose
　　05 when
B **01** ⓑ **02** ⓐ **03** ⓒ **04** ⓑ **05** ⓐ
C **01** who work underground / 지하에서 일하는 광부들은
　　02 where I bought my bike / 내가 자전거를 샀던 상
　　　점이다
　　03 which can go under the water / 물 아래로 갈 수
　　　있는 배이다
　　04 whose paintings are popular / 그림이 인기 있는
　　　화가이다
D **01** The man whom I called yesterday is my uncle.
　　02 This is the place where I found my dog.
　　03 Arbor Day is the day when we plant trees.
　　04 I want to see the movie that everybody is
　　　talking about.

A

01 마지막에 웃는 자가 가장 잘 웃는 자이다. (마지막에 웃는 자
　가 최후의 승자이다.)
　◎ 선행사가 The man으로 3인칭 단수이므로, 주격 관계대
　　명사절의 동사도 3인칭 단수 동사인 laughs가 알맞다.
02 일어난 모든 일이 내 잘못이었다.
　◎ 선행사가 –thing으로 끝나는 말인 경우 관계대명사
　　that을 쓴다.
03 농구부는 내가 속한 동아리이다.
　◎ 관계대명사 that 앞에는 전치사를 쓸 수 없으므로, 「전치
　　사+which」가 알맞다.
04 나는 전망이 좋은 방을 원한다.
　◎ 네모 뒤에는 문장 성분을 모두 갖춘 완전한 절이 이어지
　　고 있으므로, 주격·목적격 관계대명사인 which는 올 수
　　없다. 문장 구조 및 의미상 소유격 관계대명사 whose가
　　와야 알맞다.
05 낮 12시는 내가 학교에서 점심을 먹는 시간이다.
　◎ 선행사 the time은 시간을 나타내므로, 관계부사 when
　　이 알맞다.

B

01 디저트는 그녀가 원하는 모든 것이다.
02 당신이 아까 전화한 분이신가요?
03 나는 여동생이 영화 배우인 사람을 만났다.
04 내가 세상에서 가장 믿는 사람은 나의 엄마이다.
05 그것은 그녀를 짜증나게 한 것이 아니다.

CHAPTER 09 접속사와 분사구문

1 운동은 몸과 마음 둘 다에 도움이 된다.
2 그 배우는 능숙하고 부지런했다.
3 네 의자는 편하고 아늑해 보여.
4 그녀는 수학과 과학에서 둘 다 좋은 성적을 받았다.
5 그 예술가는 노래를 쓰고 그것을 피아노로 연주할 수도 있다.

어법

6 and / 그 영화는 재미있고 인상적이었다.
　◎ 「both A and B」는 'A하고 (동시에) B한'을 의미한다.
7 were / Judy와 Sally 둘 다 공연장에 있었다.
　◎ 주어로 쓰인 「both A and B」는 항상 복수 취급하므로,
　　뒤에 복수 동사 were가 와야 한다.

1 그의 새 스마트폰은 얇을 뿐만 아니라 가볍다.
2 그는 자신의 돈 전부를 썼을 뿐만 아니라 내게서 얼마를 빌
　려갔다.
3 Tony 뿐만 아니라 Steve도 그 소음을 참을 수 없었다.
4 나의 아들은 야구뿐만 아니라 농구에도 관심이 있다.
5 그는 지식뿐만 아니라 용기도 가지고 있다.

어법

6 is / 나뿐만 아니라 우리 엄마도 차를 좋아한다.
　◎ 「not only A but (also) B」 구문에서 동사의 인칭은 B에
　　일치시킨다. B에 해당하는 my mom이 3인칭이므로 is
　　가 와야 한다.
7 is / 그녀(Kate)의 오빠들뿐만 아니라 Kate도 테니스를 잘
　친다.
　◎ 「B as well as A」 구문에서도 역시 동사의 수는 B에 일
　　치시킨다. B에 해당하는 Kate가 단수이므로 is가 와야
　　한다.

1 While / 우리는 스위스에 머무는 동안 전통 가옥에서 지냈다.
2 as / 그녀는 집안일을 하면서 음악을 들었다.

3 As soon as / 나는 로마에 도착하자마자 그 도시의 지도를 샀다.

4 After / 나는 한 달 동안 여행한 후에 향수병을 느끼기 시작했다.

어법

5 tell / 내가 그녀에게 말해주기 전까지 그녀는 그 소식을 알지 못할 것이다.

6 finish / 내가 일을 끝낼 때 네 사무실에 들를게.
  ➡ until과 when이 이끄는 시간의 부사절이므로, 미래의 일은 현재시제로 나타내야 한다.

---

skill 49 ◑ 본문 93쪽

1 만약 네가 내일 늦게까지 일한다면, 우리는 다른 날에 만날 수 있어.

2 만약 당신이 페이지를 삭제하기를 원하지 않으면, '아니오'를 클릭하세요.

3 만약 네가 열심히 연습하지 않으면, 나중에 그것을 후회할 거야.

4 만약 그 영화가 너무 무섭지만 않다면, 나는 그것을 볼 것이다.

어법

5 comes / 만약 Jessie가 10분 안에 온다면, 우리는 정각에 출발할 수 있다.

6 don't buy / 만약 네가 표를 사지 않는다면, 너는 콘서트에 갈 수 없어.
  ➡ if가 이끄는 조건의 부사절이므로, 미래의 일은 현재시제로 나타내야 한다.

---

skill 50 ◑ 본문 94쪽

1 Since you cooked dinner / 네가 저녁을 요리했으니까 내가 오늘 밤 설거지를 할게.

2 As it was hot / 날씨가 더워서 나는 에어컨을 켰다.

3 Because the test was difficult / 시험이 어려워서 나는 자격증을 딸 수 없었다.

4 As she reached her goal / 그녀는 목표를 달성해서 만족했다.

어법

5 because of / 나는 힘든 일 때문에 매우 피곤했다.
  ➡ 명사구 hard work가 이어지고 있으므로, because of가 알맞다.

---

6 because / 나는 버스를 놓쳐서 정각에 도착할 수 없었다.
  ➡ '주어+동사'가 이어지고 있으므로, because가 알맞다.

---

skill 51 ◑ 본문 95쪽

1 비록 내가 Ann을 성가시게 했을지라도, 그녀는 나에게 친절했다.

2 비록 우리가 실패할지라도 그것은 도전할 만한 가치가 있다.

3 비록 그는 수줍음을 많이 탔지만 그녀에게 먼저 말을 걸었다.

4 비록 우리가 떨어져 있을지라도 너는 여전히 내 마음 속에 있어.

5 비록 그는 약했지만 간신히 자신의 마지막 작품을 그렸다.

어법

6 though / 비록 나는 이탈리아 음식을 좋아하지만 피자는 먹지 않는다.

7 although / 비록 내일은 조금 추울지라도 날씨가 좋을 것이다.
  ➡ 주절과 부사절의 의미가 대조되므로 양보의 접속사가 알맞다.

---

skill 52 ◑ 본문 96쪽

1 그 긴 치마가 마음에 들어서 그녀는 그것을 사기로 결정했다.

2 Mike는 아파서 축구 경기에 참가하지 못했다.

3 내 신용카드를 잃어버려서 나는 새것을 주문해야 할 필요가 있다.

4 극장에 늦게 도착해서 우리는 오페라를 볼 수 없었다.

어법

5 Getting / 그녀는 매우 화가 나서 어떤 말도 하지 않았다.

6 Being / 나는 바빠서 일주일 동안 쉴 시간도 가지고 있지 않다.
  ➡ 주절 앞에 붙어 주절 내용이 일어난 '이유'를 나타내고 있으므로, 현재분사(v-ing)로 시작하는 분사구문이 와야 한다.

---

skill 53 ◑ 본문 97쪽

1 발끝으로 걸으면서 그는 자신의 방에 들어갔다.

2 안녕이라고 말하면서 Luke는 버스에 탔다.

3 라디오를 들으면서 그녀는 설거지를 하고 있었다.

4 그들은 함께 노래하면서 모닥불 주위에서 춤을 췄다.

5 그는 기분 좋게 휘파람을 불면서 강을 따라 걸었다.

어법

6 not making / 나는 단 하나의 소리도 내지 않은 채 계속해서 울었다.

7 not taking off / 그녀는 신발을 벗지 않은 채로 침대에 누웠다.
- 분사 앞에 not이나 never를 써서 분사구문의 부정형을 만든다.

skill 54 본문 98쪽

1 일을 끝낸 후 Paul은 사무실을 떠났다.
2 컴퓨터에 대해 많이 알기 때문에 그녀는 자신의 것을 수리할 수 있었다.
3 산꼭대기에 이르렀을 때 나는 도시 전체를 볼 수 있었다.
4 할 일을 너무 많이 갖고 있어서 그는 잠을 전혀 잘 수 없었다.
5 이 도구를 사용할 때 너는 조심해야 한다.

어법

6 After / 계산서를 지불한 후 너는 영수증을 받아야 한다.
- 접속사를 생략하지 않은 분사구문으로서, 주절과의 의미 관계로 보아 시간의 접속사 After가 오는 것이 알맞다.
7 As / 먼 거리를 걸어서 그는 발이 아팠다.
- 접속사를 생략하지 않은 분사구문으로서, 주절과의 의미 관계로 보아 이유의 접속사 As가 오는 것이 알맞다.

CHAPTER 09 Exercise 본문 99쪽

A **01** but also **02** unless **03** because **04** Being **05** when
B **01** ⓒ **02** ⓔ **03** ⓑ **04** ⓓ **05** ⓐ
C **01** 해외에 사는 동안 항상 우리나라를 그리워했다
02 샤워를 하면서 노래를 불렀다
03 Kate와 Alice 둘 다 금발 머리카락을
04 비타민뿐만 아니라 칼슘도 제공해준다
D **01** Since she practiced hard, she won the game.
02 Waving her hand, she got in the car.
03 Though I read many books, I don't know everything.
04 Unless you want to say more, you may go out of the classroom.

A
01 James 뿐만 아니라 Tim도 기타를 연주할 수 없었다.
- not only A but (also) B: A뿐만 아니라 B도
02 만약 네가 더 빨리 걷지 않는다면, 너는 버스를 놓칠 거야.
- 주절과 부사절의 의미 관계로 보아, '만약 ~하지 않으면' 이라는 뜻의 접속사 unless가 알맞다.
03 나는 어제 아파서 결석했다.

- '주어＋동사'가 이어지고 있으므로, because가 알맞다.
04 그녀는 지루해서 하품을 크게 했다.
- 주절 앞에 붙어 주절 내용이 일어난 '이유'를 나타내고 있으므로, 현재분사(v-ing)로 시작하는 분사구문이 와야 한다.
05 나의 가족은 내가 어렸을 때 매우 가난했다.
- 주절과 부사절의 의미 관계로 보아, '~할 때'라는 뜻의 접속사 when이 알맞다.

B
01 비록 그가 키는 작지만 높이 뛸 수 있다.
02 오른쪽으로 돌면, 너는 그 건물을 발견할 거야.
03 나는 그의 전화번호를 알지 못해서 그에게 전화를 걸 수 없었다.
04 Mary는 자는 동안 방의 불을 켜 놓았다.
05 손님들이 도착하기 전에 너는 집을 청소할 필요가 있다.

CHAPTER 10 비교구문

skill 55 본문 102쪽

1 나의 짐은 그녀의 것보다 약 네 배만큼 무겁다.
2 쇼핑몰은 평소보다 두 배만큼 붐볐다.
3 화성은 지구의 크기의 반이다.
4 그녀는 너보다 열 배만큼 많은 책을 읽는다.
5 그들은 내가 예상한 것보다 두 배만큼 빨리 그 일을 끝냈다.

어법

6 yours / 그의 자전거는 네 것보다 다섯 배만큼 비싸다.
- 동등비교를 이용한 배수 표현은 비교 대상의 격을 동등하게 해야 하므로 소유격 yours가 알맞다.
7 my mom / 나의 할머니의 나이는 나의 엄마의 두 배이다.
- 동등비교를 이용한 배수 표현은 비교 대상의 격을 동등하게 해야 하므로 주격 my mom이 알맞다.

skill 56 본문 103쪽

1 침팬지는 개보다 네 배 더 오래 산다.
2 그는 내가 가진 것보다 열 배 더 많은 돈을 가지고 있다.
3 이 대기 줄은 다른 것보다 세 배 더 길다.
4 그 호텔은 온라인의 사진보다 100배 더 멋졌다.
5 블랙홀은 태양보다 백억 배 더 크다.

6 louder / 소음이 평소보다 다섯 배 더 컸다.
  ○ 비교급으로 배수를 표현한 문장은 「배수사＋비교급＋than」의 형태이므로 비교급 louder가 알맞다.
7 more / 나는 너보다 세 배 더 많은 골을 넣었다.
  ○ 비교급으로 배수를 표현한 문장은 「배수사＋비교급＋than」의 형태이므로 비교급 more가 알맞다.

---

skill 57 ○ 본문 104쪽

1 온라인으로 물건을 사는 것이 가게에서 사는 것보다 훨씬 더 싸다.
2 소설이 영화보다 훨씬 더 재미있었다.
3 수영장의 물은 내가 예상했던 것보다 훨씬 더 깊었다.
4 내 형[동생]은 나보다 약간 더 크다.
5 8월의 판매량은 7월의 판매량보다 훨씬 더 높았다.

어법

6 a lot / 검정 스커트는 흰 것보다 훨씬 더 길다.
  ○ 비교급을 강조하고 있으므로 a lot이 알맞다. very는 원급을 강조한다.
7 much / 걷는 것이 차를 타는 것보다 훨씬 더 건강에 좋다.
  ○ 비교급을 강조하고 있으므로 much가 알맞다. very는 원급을 강조한다.

---

skill 58 ○ 본문 105쪽

1 우리는 더 나이가 들수록, 더 현명해진다.
2 네가 더 높이 올라갈수록, 더 추워진다.
3 우리가 더 많은 전기를 사용할수록, 우리의 고지서 요금은 더 올라갈 것이다.
4 나는 더 배울수록, 내가 얼마나 모르는지를 더 깨닫게 된다.

어법

5 the more money you'll earn / 네가 더 열심히 일할수록, 더 많은 돈을 벌게 될 것이다.
6 the better air we breathe / 우리가 더 많은 나무를 심을수록, 더 좋은 공기를 마신다.
  ○ 「the＋비교급」이 명사를 꾸미는 경우, 꾸밈을 받는 명사는 비교급 바로 뒤에 쓴다.

---

skill 59 ○ 본문 106쪽

1 시간은 다른 어떤 것보다 더 귀중하다.

2 Peter는 그의 반의 다른 어떤 소년보다 더 빠르게 달린다.
3 코브라는 다른 어떤 뱀보다 더 독이 있다.
4 나일 강은 세계의 다른 어떤 강보다 더 길다.
5 나는 야구가 다른 어떤 운동보다 더 흥미진진하다고 생각한다.

어법

6 colder / 오늘은 올해 다른 어떤 날보다 더 춥다.
  ○ 뒤에 「than＋any other＋단수 명사」의 형태가 나왔으므로 비교급 colder가 알맞다.
7 older / 이 절은 한국의 다른 어떤 절보다 더 오래되었다.
  ○ 뒤에 「than＋all the other＋복수 명사」의 형태가 나왔으므로 비교급 older가 알맞다.

---

skill 60 ○ 본문 107쪽

1 어떤 장소도 집보다 더 좋지는 않다.
2 세계의 다른 어떤 호수도 Baikal 호수만큼 깊지 않다.
3 다른 어떤 과목도 수학만큼 내게 어렵지 않다.
4 우정에서 어떤 것도 신뢰보다 더 중요하지는 않다.
5 태양계의 어떤 행성도 목성보다 더 크지 않다.

어법

6 than / 어떤 것도 사랑보다 더 강력하지 않다.
  ○ 부정 주어 Nothing과 비교급 more powerful이 앞에 있으므로 than이 오는 것이 알맞다.
7 as / 한국의 다른 어떤 도시도 서울만큼 붐비지 않는다.
  ○ 부정 주어 No other city in Korea와 원급이 앞에 있으므로 as가 오는 것이 알맞다.

CHAPTER 10 Exercise 본문 108쪽

A 01 hard 02 mine 03 much 04 harder
  05 Nothing
B 01 ⓑ 02 ⓑ 03 ⓑ 04 ⓐ 05 ⓑ
  06 ⓐ 07 ⓑ 08 ⓐ 09 ⓑ 10 ⓐ
C 01 평소보다 세 배 더 바쁘게
  02 훨씬 더 절망적이다
  03 더 많이 웃을수록, 더 오래 산다
  04 다른 어떤 댄서들보다 춤을 더 잘 췄다
  05 다른 어떤 소년도 Brian만큼 똑똑하지 않다
D 01 The final exam was three times as difficult as the mid-term exam.

A

01 그는 다른 사람들의 두 배만큼 열심히 일한다.
  ◎ 동등비교를 이용한 배수 표현은 「배수사＋as＋원급＋as」의 형태로 쓰므로 원급 hard가 알맞다.

02 그의 전화기는 내 것보다 세 배 더 비싸다.
  ◎ 비교급에서 비교 대상의 격은 동등해야 하므로 소유격 mine이 알맞다.

03 오늘은 어제보다 훨씬 더 덥다.
  ◎ 비교급을 강조하고 있으므로 much가 알맞다. very는 원급을 강조한다.

04 네가 더 높이 날수록, 너는 더 세게 떨어진다.
  ◎ 「the＋비교급～, the＋비교급…」의 형태이므로 비교급 harder가 알맞다.

05 어떤 것도 열정만큼 중요하지는 않다.
  ◎ Nothing is as 원급 as ～.: 어떤 것도 ～만큼 …하지는 않다.

B

01 방향이 속도보다 훨씬 더 중요하다.

02 상황은 우리가 상상한 것보다 훨씬 더 나쁘다.

03 신데렐라는 그녀의 언니들보다 훨씬 더 예뻤다.

04 수영은 살을 빼기 위한 매우 재미있고 쉬운 방법이다.

05 그 가수의 두 번째 앨범은 그의 첫 번째 앨범보다 훨씬 더 많이 팔렸다.

06 근육은 지방보다 두 배만큼 무게가 나간다.

07 8월은 일 년 중의 다른 어떤 달보다 더 덥다.

08 이 장소는 내가 예상했던 것보다 열 배는 더 좋다.

09 다른 어떤 덕목도 자신감만큼 소중하지 않다.

10 그녀는 그녀의 남편보다 훨씬 더 실망한 것처럼 보였다.

Workbook

01 주어 〔Workbook〕

단어 Review
본문 112쪽

A 01 정원   02 무늬가 없는   03 병   04 멍든
05 향상시키다   06 혼자   07 규칙적으로   08 분명한
09 불가능한   10 가구   11 줄무늬의   12 거의
13 사촌   14 연습하다   15 활동   16 해외로
17 영향을 미치다   18 확실한   19 야구장   20 집중
B 01 fix   02 island   03 duty   04 necessary
05 traffic signal   06 whole   07 strange
08 take a nap   09 prepare   10 advice   11 scold
12 rumor   13 rude   14 careless   15 choice
16 language   17 steal   18 opinion   19 prefer
20 save

개념 Review
본문 113쪽

A 01 ○   02 ○   03 ×   04 ×   05 ○
B 01 the other   02 Driving   03 makes   04 of   05 is
C 01 It   02 is   03 that   04 to reach   05 the others

해석 Practice ①
본문 114쪽

01 어떤 것들은 돼지이고, 나머지 다른 것들은 소이다.
02 내 필통에 4개의 펜이 있다. 하나는 검은색이고, 나머지 다른 것들은 파란색이다.
03 어떤 사람들은 뜨거운 커피를 원했고, 다른 사람들은 차가운 커피를 원했다.
04 그들 중 대부분은 그녀의 그림들을 보기 원했다.
05 나의 학급 친구들 모두가 대회에 참가했다.
06 나의 부모님 중 한 분이 그 모임에 참석해야 한다.
07 그의 충고의 대부분은 우리에게 유용하다.
08 어떤 것들은 맛이 매우 좋았지만, 나머지 다른 것들은 그렇지 않았다.
09 내게는 이모가 두 분이 있다. 한 분은 여기에 있고, 나머지 다른 한 분은 런던에 있다.
10 선수들 중 몇 명이 경기의 규칙을 어겼다.

11 그 호텔 방들은 모두 크고 깨끗하다.
12 버터의 일부가 상자 안에서 녹았다.
13 하나는 나의 것이고, 나머지 다른 하나는 Jenny의 것이다.
14 나의 여동생들 중 한 명이 온라인 게임 대회에서 우승했다.
15 사람들 대부분이 그의 다음 마술 쇼를 기대했다.
16 나의 학급 친구들 몇몇은 시험에 합격했으나, 나머지는 실패했다.
17 한 명은 그에게 동의했으나, 나머지 다른 사람들은 그렇지 않았다.
18 내 돈 전부가 내 지갑에 있었다.
19 그의 말의 대부분은 사실이었다.
20 Jake는 많은 장난감을 가지고 있다. 어떤 것들은 로봇이고, 다른 것들은 미니 자동차이다.

해석 Practice ②
본문 116쪽

01 To save the earth / 지구를 구하는 것은 중요하다.
02 To make a shopping list / 쇼핑 목록을 만드는 것은 유용하다.
03 Driving along the lake / 호수를 따라 운전하는 것은 매우 좋다.
04 Running in a marathon / 마라톤을 뛰는 것은 매우 어렵다.
05 That he left the company / 그가 회사를 떠났다는 것은 나를 놀라게 했다.
06 That time is money / 시간이 돈이라는 것은 오래된 속담이다.
07 To practice yoga / 요가를 연습하는 것은 당신의 정신과 신체에 좋다.
08 To plan a schedule every day / 매일 일정을 계획하는 것은 좋은 습관이다.
09 Exploring new places / 새로운 곳을 탐험하는 것은 매우 신나는 일이다.
10 Eating regular meals / 규칙적인 식사를 하는 것은 당신의 건강에 좋다.
11 That the fire destroyed the town / 화재가 그 마을을 파괴했다는 것은 충격적이었다.
12 That Ted broke the window / Ted가 창문을 깨뜨린 것은 확실했다.

13 Sharing information with your neighbors / 당신의 이웃들과 정보를 공유하는 것은 중요하다.

14 To make a kite / 연을 만드는 것은 어렵지 않다.

15 Building a new airport / 새 공항을 짓는 것은 많은 돈이 든다.

16 Teaching Korean to foreigners / 외국인들에게 한국어를 가르치는 것이 나의 직업이다.

17 That she worked as a fashion model / 그녀가 패션모델로 일했다는 것은 흥미롭다.

18 That Lucy sent me this box / Lucy가 나에게 이 상자를 보냈다는 것은 사실이 아니다.

19 To enter an empty house alone / 빈집에 혼자 들어가는 것은 위험하다.

20 Seeing a soccer game at a stadium / 경기장에서 축구 경기를 보는 것은 재미있다.

해석 Practice ③
본문 118쪽

01 서울에서 지하철을 타는 것은 쉽다.
02 내 목표에 도달하는 것은 어렵다.
03 신선한 야채를 먹는 것은 중요하다.
04 내가 제 시간에 거기에 도착하는 것은 불가능하다.
05 그렇게 했다니 그녀는 부주의했다.
06 Sarah가 Paul에게 먼저 말하는 것은 어려웠다.
07 어린 아이들이 혼자 여행하는 것은 위험하다.
08 같은 실수를 하다니 나는 어리석었다.
09 그가 선거에서 승리할 것은 분명하다.
10 그가 병원에 입원했다는 것은 사실이 아니었다.
11 지구가 태양 주위를 돈다는 것은 사실이다.
12 그 모든 숫자를 기억하다니 그녀는 똑똑하다.
13 Sue가 강을 가로질러 수영하는 것은 불가능하다.
14 진정한 친구를 갖는 것은 멋진 일이다.
15 그녀를 그렇게 오래 기다리게 만들다니 너는 무례했다.
16 그 이야기를 자세히 설명하는 것이 필요하다.
17 Luke가 사람들 앞에서 연설하는 것은 쉽지 않았다.
18 아이들이 집에서 에티켓을 배우는 것은 중요하다.
19 지난 주말에 집에 머물렀다니 너는 현명했다.
20 그녀의 남편이 부유한 사업가라는 것은 (근거 없는) 소문이다.

CHAPTER 02 목적어
Workbook

단어 Review
본문 120쪽

A 01 포기하다 02 쫓다 03 동의하다 04 피하다
05 계획하다 06 암기하다 07 빌려주다 08 결승전
09 떨어뜨리다 10 ~를 줍다 11 부상
12 ~에서 내리다 13 결정하다 14 ~에 투표하다
15 지식 16 구급차 17 토론 18 교육 19 여권
20 서랍

B 01 solve 02 boss 03 whale 04 explain
05 different 06 wet 07 round 08 trust
09 kind 10 famous 11 contest 12 expect
13 prize 14 choose 15 take care of
16 in need 17 mind 18 wallet 19 watch
20 continue

개념 Review
본문 121쪽

A 01 ○ 02 ○ 03 × 04 ○ 05 ×
B 01 walking 02 when 03 to turn 04 that
05 to eat
C 01 worrying 02 to finish 03 to be 04 that
05 how to solve

해석 Practice ①
본문 122쪽

01 to complain about the company / 사람들은 그 회사에 대해 불평하기 시작했다.
02 playing water sports / Mary는 수상 스포츠를 하는 것을 즐겼다.
03 to go there with him / 나는 그와 거기에 가는 것에 동의했다.
04 to cry / 그 아기는 자신의 엄마가 올 때까지 계속 울었다.
05 to travel all around the world by 70 / 그녀는 70세까지 전 세계를 여행하기로 계획했다.
06 to take a picture of the mountain / 그들은 그 산의 사진을 찍기를 원했다.
07 to take a walk in her free time / 내 여동생은 여가 시간에 산책하는 것을 좋아한다.
08 wearing a pink shirt to the party / Tony는 파티에 분홍색 셔츠를 입고 가는 것을 포기했다.
09 to meet the idol star at the event / Kate는 그 행사에서

아이돌 스타를 만나기를 기대했다.

10 sharing the table with me / 당신은 테이블을 저와 함께 쓰는 것이 괜찮으신가요?

11 studying for the English exam / 너는 영어 시험을 위해 공부하는 것을 끝냈니?

12 to wear this heavy jacket / 나는 이 두꺼운 재킷을 입는 것을 싫어한다.

13 putting some money in my pocket / 나는 내 주머니에 돈을 조금 넣었던 것을 기억한다.

14 to take my new suitcase when I leave for Busan / 나는 부산을 향해 출발할 때 나의 새 여행 가방을 가져갈 것을 기억한다.

15 to speak Korean well / Allen은 한국어를 잘 말하려고 노력했다.

16 phoning his home number / 나는 그의 집 번호로 전화를 해보았다.

17 buying fresh foods online / 그녀는 온라인으로 신선 식품을 사는 것을 그만두었다.

18 to talk to the lady at the bus stop / Mike는 버스 정류장에 있는 숙녀에게 말을 걸기 위해서 멈추었다.

19 to lock the garage door / Nancy는 차고 문을 잠그는 것을 잊었다.

20 putting his key on the desk / Jack은 자신의 열쇠를 책상 위에 놓아두었던 것을 잊었다.

해석 Practice ②
본문 124쪽

01 that spiders are not insects / 나는 거미가 곤충이 아니라는 것을 안다.

02 how to cook Mexican food / 그는 내게 멕시코 음식을 요리하는 방법을 가르쳐주었다.

03 where to spend this summer vacation / 나는 이번 여름 휴가를 어디에서 보내야 할지 선택했다.

04 when to return the books / 그녀는 내게 언제 그 책들을 반납해야 할지 말해주었다.

05 that I always did my best / 나의 부모님은 내가 언제나 최선을 다한다고 믿었다.

06 whom to invite / David는 누구를 초대할지 결정하지 못했다.

07 he would win first prize / 우리는 그가 1등상을 타리라 기대했다.

08 what to buy for his birthday present / 나는 그의 생일 선물로 무엇을 사야 할지 모르겠다.

09 when to use the tool / 농부는 우리에게 언제 그 도구를 사용해야 할지 말해주었다.

10 which bus to take / 나는 한 노부인에게 어떤 버스를 타야 할지 물어보았다.

11 which seat to sit in / 그는 내게 어떤 좌석에 앉아야 할지 알려주었다.

12 that health is more important than money / 많은 사람들은 건강이 돈보다 더 중요하다고 생각한다.

13 that she would walk on her two feet someday / Sally는 언젠가 자신의 두 발로 걷기를 희망했다.

14 what to buy for mom / 나는 엄마를 위해 무엇을 사야 할지 아직 생각 중이야.

15 who to dance with at the party / 나는 파티에서 누구와 춤을 춰야 할지 모르겠다.

16 that I should leave right away / 그는 내가 지금 당장 떠나야 한다고 나에게 설명했다.

17 how to play this board game / 너는 이 보드게임을 하는 법을 우리에게 가르쳐줄 수 있니?

18 where to write his name on the papers / 그녀는 그에게 서류의 어디에 그의 이름을 적어야 할지 알려주었다.

19 that I should take a rest at home / 의사는 내가 집에서 휴식을 취해야 한다고 말했다.

20 everyone has his own lifestyle / 나는 모든 사람들이 자신만의 생활방식을 갖고 있다는 것을 이해할 수 있다.

CHAPTER 03 보어 Workbook

단어 Review
본문 126쪽

A 01 불평하다   02 원래의, 본래의
03 ~인 것처럼 보이다   04 행진, 행군   05 공연
06 등장   07 ~를 쳐다보다   08 졸다   09 광고
10 영국의   11 임무   12 계속해서 -하다   13 승객
14 관객, 관중   15 교장   16 ~를 태워주다
17 오랫동안   18 비서   19 음주운전   20 수업

B 01 goal   02 serve   03 soldier   04 give up
05 ground   06 bamboo   07 burn   08 garage
09 main   10 tear   11 positive   12 final
13 sudden   14 beat   15 couch   16 line up
17 driver's license   18 respect   19 pay a fine
20 cheek

A 01 ○ 02 × 03 × 04 ○ 05 ×
B 01 to deliver 02 not smoking 03 exciting
   04 embarrassed 05 to show
C 01 collecting 02 satisfied 03 pull[pulling]
   04 cancel 05 not to eat

해석 Practice ① 본문 128쪽

01 나는 희망은 세계를 여행하는 것이다.
02 그녀의 직업은 대학에서 역사를 가르치는 것이다.
03 Joe의 새로운 꿈은 자신만의 빵집을 여는 것이다.
04 그의 문제는 수업에 제 시간에 오지 않는 것이다.
05 그 회사의 결정은 공장을 닫는 것이었다.
06 그의 의무 중 하나는 사무실을 청소하는 것이다.
07 그의 가장 큰 목표는 올림픽 챔피언이 되는 것이다.
08 살을 빼는 방법은 간식을 전혀 먹지 않는 것이다.
09 인생에서 중요한 것은 현재를 즐기는 것이다.
10 그 의사가 내게 한 충고는 쉬고 건강에 좋은 음식을 먹는 것이었다.
11 롤러코스터를 타는 것은 매우 재미있었다.
12 그 소식은 많은 그의 팬들에게 충격적인 것 같았다.
13 긴 여행은 그에게 피곤한 것이었다.
14 박물관은 아이들에게 지루해 보였다.
15 긴 하루를 보낸 후의 따뜻한 목욕은 마음을 매우 느긋하게 해준다.
16 그 소년은 음악에 관심이 있어 보였다.
17 나는 나의 할머니의 건강이 걱정된다.
18 그녀는 큰 소음으로 인해 놀랐다.
19 선생님은 그의 행동에 실망했다.
20 그곳의 일꾼들은 자신들의 직업에 만족하는 것처럼 보였다.

해석 Practice ② 본문 130쪽

01 to be fair / 학생들은 그들의 선생님들이 공정하기를 원한다.
02 to put away his toys / Henry의 엄마는 그에게 장난감을 치우라고 말했다.
03 to print out the report / 나는 내 남동생에게 그 보고서를 출력할 것을 요청했다.
04 to understand me / 나는 네가 날 이해하리라고 기대하지 않는다.
05 to go to the concert / 그녀의 부모님은 그녀가 콘서트에 가는 것을 허락해주셨다.

06 not to play with toy guns / 선생님은 아이들에게 장난감 총을 갖고 놀지 말라고 경고했다.
07 to lose a lot of money / 그 결정은 그들에게 많은 돈을 잃게 하였다.
08 not to take any pictures of the scene / 경찰은 사진사들에게 그 현장을 사진 찍지 말라고 명령했다.
09 go into the forest / Alice는 토끼 한 마리가 숲 속으로 가는 것을 보았다.
10 leave the room / 아무도 그가 방에서 나가는 것을 알아차리지 못했다.
11 cry in her room / 나는 내 여동생이 방에서 우는 것을 들었다.
12 cross the street / 그녀는 자신의 아들이 길을 건너는 것을 보았다.
13 sing / 눈을 감고 새들이 노래하는 소리를 들어보세요.
14 kicking his chair / 그는 누군가가 자신의 의자를 차고 있는 것을 느꼈다.
15 check the brakes / 나는 수리공이 브레이크를 점검하도록 하였다.
16 to control my stress / 규칙적으로 운동하는 것은 내가 스트레스를 조절하도록 도와준다.
17 carry my bags / 너는 내가 가방을 드는 것을 도와줄 수 있니?
18 run around in a restaurant / 나는 내 아이들이 식당에서 뛰어 다니는 것을 허락하지 않는다.
19 gain weight / 아침을 거르는 것은 당신을 살찌게 만들 수 있다.
20 choose their own essay topics / 그 교수는 학생들이 자기 자신의 과제물 주제를 선택하도록 허락했다.

CHAPTER 04 시제와 수동태 Workbook

단어 Review 본문 132쪽

A 01 역, 정거장 02 윈드서핑하다 03 받다
   04 주문품, 주문 05 (시험에서) 부정행위를 하다
   06 오토바이 07 잃다 08 지갑 09 시장 10 실패
   11 유대인의 12 전통 13 ~이상 14 기사
   15 정원사 16 기념하다, 축하하다 17 수천의
   18 관광객 19 광고(하기) 20 제품

B 01 water 02 regularly 03 injure 04 herb
   05 hundreds of 06 steal 07 produce 08 easily
   09 translate 10 fall in love 11 at first sight
   12 mechanic 13 cause 14 grow 15 emperor
   16 in memory of 17 tornado 18 celebrity
   19 divide into 20 road

A 01 ○ 02 × 03 × 04 ○ 05 ×
B 01 already 02 will be remembered
   03 are loved 04 since 05 twice
C 01 are used 02 for 03 has just turned on
   04 has been stolen 05 will not be believed

01 우리는 그 식당에서 여러 번 먹어본 적이 있다.
02 나는 그를 한 번 만난 적이 있는 것 같다.
03 너는 그 영화를 전에 본 적이 있니?
04 나는 한 번도 이탈리아에 가본 적이 없다.
05 Jason이 시험에 떨어진 적이 있니?
06 우리는 공항에 막 도착했다.
07 나는 이미 그 퍼즐을 풀었다.
08 그 소년들은 캠프에서 아직 돌아오지 않았다.
09 Tom은 지금 막 일어났니?
10 그들은 벌써 그들의 표를 예매했니?
11 우리는 서로를 오랫동안 알고 지냈다.
12 그 소녀는 어제부터 아무 것도 먹지 못했다.
13 얼마나 오랫동안 이 차를 보유해왔나요?
14 나의 삼촌은 은행에서 2년 동안 일해왔다.
15 Katie는 8살 때부터 개를 길러왔다.
16 나는 그녀의 이름을 잊어버렸다(그래서 지금도 기억이 안 난다).
17 John은 자신의 숙제를 집에 두고 왔다(그래서 지금 그것을 갖고 있지 않다).
18 그 남자는 자신의 고향으로 돌아가버렸다(그래서 지금 여기에 없다).
19 나의 아버지는 자신의 휴대 전화를 잃어버렸다(그래서 지금 그것을 갖고 있지 않다).
20 그 섬은 바다 속으로 사라졌다(그래서 지금도 바다 속에 있다).

01 방은 호텔 직원에 의해 매일 청소된다.
02 크리스마스는 전 세계적으로 기념된다.
03 그 신문은 매일 아침 배달된다.
04 이 소시지는 그릴 위에서 조리된다.
05 쌀은 세계의 많은 나라에서 재배된다.
06 조식은 7시에서 9시 사이에 제공된다.
07 그 남자는 숲에서 뱀에 물렸다.
08 뒷마당의 나무는 나의 할아버지에 의해 심겨졌다.
09 그 박물관의 주요 건물은 1889년에 지어졌다.
10 그 도둑은 마침내 월요일에 경찰에 의해 체포되었다.
11 전구는 1879년에 에디슨에 의해 발명되었다.
12 그 영화는 다음 주 금요일에 개봉될 것이다.
13 그는 결혼식에 초대받지 못할 것이다.
14 학교 축제는 5월 11일에 열릴 것이다.
15 계획은 변경되지 않을 것이다.
16 초대장은 이미 발송되었다.
17 악천후로 인해 모든 항공편이 취소되었다.
18 이 컴퓨터는 5년 동안 사용되어왔다.
19 그 아이는 방금 병원으로 이송되었다.
20 그 소녀들은 똑같이 대우받지 못해왔다.

CHAPTER 05 조동사와 가정법 Workbook

A 01 야구장 02 향수 03 조각하다 04 가까운
   05 충고 06 치과에 가다 07 전문가 08 헬스클럽
   09 교장 10 매다, 채우다 11 수족관 12 언덕
   13 호박 14 등대 15 저축하다 16 ~로 고생하다
   17 ~에 참여하다 18 여행 가방 19 학생증
   20 배고픈, 굶주린
B 01 flu 02 horror 03 allow 04 boring
   05 discount 06 seat belt 07 waste 08 issue
   09 delivery 10 complete 11 join 12 lend
   13 daughter 14 cancel 15 sweet 16 reporter
   17 discuss 18 newspaper 19 medicine
   20 mission

A 01 × 02 ○ 03 ○ 04 ○ 05 ×
B 01 would rather 02 would 03 used to
  04 were 05 have known
C 01 had run 02 would be 03 to travel
  04 used to 05 had better not

01 나는 수줍음이 많았지만, 지금 나는 그렇지 않다.
02 나는 이렇게 더운 날씨에 밖에 나가느니 차라리 집에 머물겠다.
03 엄마는 내년 여름에 스페인에 가고 싶어 하신다.
04 우리 가족은 매년 봄에 배를 타고 섬에 가곤 했다.
05 그는 저녁 식사 후에 강아지와 산책하곤 했다.
06 너는 무엇을 마시고 싶니?
07 너는 노크하지도 않고 그의 방에 들어가지는 않는 게 좋겠다.
08 너는 나와 함께 콘서트에 가고 싶니?
09 나는 TV를 보느니 차라리 잠자리에 들겠다.
10 그는 이번에는 자신의 약속을 지키는 것이 좋겠다.
11 너는 창문 밖으로 쓰레기를 버리지 않는 게 좋겠다.
12 그는 매일 아침 이 장소에서 새들에게 먹이를 주곤 했다.
13 나는 차라리 이렇게 비싼 케이크는 사지 않겠다.
14 저는 그것에 관한 당신의 의견을 원합니다.
15 우리는 차라리 샌드위치를 포장해 가겠다.
16 우리 가족은 겨울에 스키를 타러 가곤 했다.
17 나는 어렸을 때 유령을 두려워 했다.
18 나는 피사의 사탑을 올라가고 싶다.
19 나는 스마트폰으로 인기 있는 게임을 하곤 했다.
20 그들은 집에서 파자마 파티를 열고 싶어 한다.

01 만약 네가 규칙적으로 운동한다면, 너는 체중이 줄 텐데.
02 만약 네가 밤에 도둑을 본다면, 너는 무엇을 하겠니?
03 만약 바람이 멈추었다면, 비행기가 이륙할 수 있었을 텐데.
04 만약 날씨가 덥다면, 우리는 바다에 수영하러 갈 텐데.
05 만약 그녀가 최선을 다했다면, 그녀는 유명해졌을 텐데.
06 만약 내가 이 책을 전에 읽었다면, 나는 그 영화를 이해했을 텐데.
07 만약 네가 여기에 더 오래 머무른다면, 너는 그녀를 볼 수 있을 텐데.
08 만약 그가 정직했다면, 대부분의 사람들이 그에게 투표했을 텐데.

09 만약 내가 일을 끝내지 않으면, 나는 축구 경기를 볼 수 없을 텐데.
10 만약 내가 많은 돈을 번다면, 나는 어려움에 빠진 내 친구를 도울 텐데.
11 만약 내가 그 질문에 빨리 대답했다면, 나는 그 자리를 얻을 수 있었을 텐데.
12 만약 내가 네 입장이 된다면, 나는 지금 당장 그녀에게 전화할 텐데.
13 만약 네가 꿈을 포기하지 않는다면, 너의 꿈은 이루어질 텐데.
14 만약 네가 야구 경기를 봤다면, 너는 신났을 텐데.
15 만약 내가 너의 걱정거리를 알았다면, 나는 그때 너를 도왔을 텐데.
16 만약 네가 나에게 문자메시지를 보낸다면, 나는 너에게 서둘러 갈 텐데.
17 만약 내가 스마트폰을 잃어버리지 않았다면, 나는 그때 너에게 전화했을 텐데.
18 만약 내가 춤을 잘 춘다면, 나는 무대에서 춤출 수 있을 텐데.
19 만약 내가 더 많은 시간을 갖고 있었다면, 나는 수학 문제를 전부 풀 수 있었을 텐데.
20 만약 Mary가 노래를 잘 불렀다면, 그녀는 오디션에 참가했을 텐데.

06 수식어구 Workbook

A 01 방법 02 배우다 03 언어 04 (짐을) 싸다
  05 빈, 비어 있는 06 소리치다, 괴성을 지르다
  07 ~위로 08 무대 09 ~에서 떨어지다
  10 다 팔린 11 졸다 12 식료품점 13 놀이공원
  14 잠들다 15 ~을 통과하다 16 경비원, 경호원
  17 도착하다 18 도둑 19 위층으로
  20 다이빙하다
B 01 reach 02 prepare for 03 interview
  04 patient 05 survey 06 result 07 musician
  08 return 09 excited 10 pirate
  11 treasure chest 12 join 13 tight 14 pool
  15 library 16 hold 17 hand in 18 light
  19 out of 20 nervous

개념 Review

A 01 ×   02 ○   03 ○   04 ×   05 ×

B 01 to talk about   02 not to   03 too   04 to get
   05 encouraging

C 01 a partner to dance with
   02 too slow to win
   03 big enough to hold
   04 something good to watch
   05 relieved

해석 Practice ①

01 to do today / 나는 오늘 해야 할 일이 많다.

02 to play in / 그 아이들은 (안에서) 놀 마당이 필요하다.

03 to change our plans / 우리는 계획을 바꿀 시간이 없다.

04 to live with / Jake는 같이 살 룸메이트를 구하고 있다.

05 to eat in the refrigerator / 냉장고 안에는 먹을 것이 없다.

06 to drink during the hike / 등산을 하는 동안 마실 약간의 물을 가져오는 것을 잊지 마세요.

07 to listen to on the radio / 나는 라디오에서 뭔가 듣기 좋은 것을 찾으려 하고 있었다.

08 to solve all the problems / 나는 모든 문제를 풀 충분한 시간이 없었다.

09 to cry on / 가장 강한 사람조차 기대어 울 어깨가 필요하다.

10 to do with your kids / 당신은 아이들과 함께 할 뭔가 즐거운 것을 찾고 있나요?

11 broken / 깨진 유리를 조심해라!

12 called Bella / 나는 Bella라고 불리는 고양이를 갖고 있다.

13 boring / 나는 비가 와서 지루한 주말을 보냈다.

14 disappointed / 실망한 팬들은 경기장을 떠났다.

15 shaking / 그녀는 떨리는 손으로 편지를 열어보았다.

16 filled with jelly beans / 그는 젤리 콩으로 채워진 병을 계산대 위에 놓았다.

17 locked / 그는 잠긴 차 문을 열려고 애쓰고 있었다.

18 beginning next Monday / 다음 주 월요일에 시작하는 아침 요가 수업이 있다.

19 played by children nowadays / 나는 요즘 아이들이 하는 게임에 대해서는 잘 모른다.

20 sitting next to her / 그녀는 그녀 옆에 앉아 있던 소년과 별로 이야기하지 않았다.

해석 Practice ②

01 휴대 전화를 또 잃어버리다니 그녀는 부주의했다.

02 온 나라가 그들의 왕이 죽었다는 것을 듣고 슬퍼했다.

03 가족들은 할머니의 칠순 생신을 축하하기 위해서 모였다.

04 나는 집에 와서 책상 위에 있는 소포를 발견했다.

05 우리는 당신과 함께 한 팀으로 일하게 돼서 기쁩니다.

06 그런 일을 하다니 너는 바보임이 틀림없다.

07 Wilson 부인은 서둘러 은행에 갔지만, 문이 닫혀 있는 것을 발견했다.

08 나는 취업 면접에 늦지 않기 위해 일찍 집을 나섰다.

09 그는 그것이 단지 꿈이었다는 것을 깨닫고 안심했다.

10 Peter는 기말고사 공부를 하기 위해 늦게까지 깨어 있었다.

11 그 거울은 너무 무거워서 벽에 걸 수 없다.

12 너는 학교에 걸어갈 수 있을 만큼 충분히 가까이 사니?

13 이 수프는 너무 매워서 내가 먹을 수 없다.

14 지금은 너무 이른 시간이어서 자러 갈 수 없다.

15 당신의 아들은 자기 스스로 결정을 내릴 수 있을 만큼 충분히 나이가 들었다.

16 그녀는 그의 거짓말을 믿을 만큼 충분히 어리석었니?

17 그는 너무 졸려서 눈을 뜨고 있을 수 없었다.

18 그녀는 너무 살이 쪄서 자신의 오래된 청바지를 입을 수 없었다.

19 그 노인은 자신이 여행을 할 수 있을 만큼 충분히 건강하지 않다는 것을 알고 있었다.

20 오이디푸스는 스핑크스의 수수께끼를 풀 만큼 충분히 똑똑했다.

CHAPTER 07 명사절   Workbook

단어 Review

A 01 ～까지   02 분명한   03 언어   04 가치
   05 극복하다   06 구하다, 저축하다   07 제안
   08 섬   09 위치   10 ～에 대한, ～를 향하여   11 서로
   12 재능이 있는   13 화산   14 ～을 포기하다
   15 어려움   16 받아들이다   17 무대   18 보물 상자
   19 태도, 자세   20 실망시키다

B 01 leap   02 respect   03 earn   04 survive
   05 against   06 put off   07 society   08 take place

09 add　10 these days　11 expect　12 laugh

13 planet　14 mystery　15 law　16 living

17 recycle　18 niece　19 unknown　20 vase

개념 Review
본문 151쪽

A　01 ○　02 ○　03 ×　04 ×　05 ×

B　01 is　02 what　03 that　04 What　05 where

C　01 what　02 when the plane will take off

　　03 what　04 that　05 that

해석 Practice ①
본문 152쪽

01 나는 그가 복권에 당첨되었다고 들었다.

02 그가 야구 동아리에 가입했다는 것은 사실이었다.

03 문제는 이어폰이 당신의 귀를 손상시킬 수 있다는 것이다.

04 그녀는 그들이 잘 자랐다는 생각에 미소 지었다.

05 이 차에서 가장 좋은 점은 그것이 매우 편리하다는 것이다.

06 나는 그가 한 여배우와 데이트를 하고 있다는 소문을 들었다.

07 그가 그 사고에서 부상을 입었다는 것은 안타까운 일이었다.

08 진실은 그가 그 그림을 혼자서 그렸다는 것이었다.

09 나는 네가 약간의 혼자 있는 시간이 필요하다는 것을 이해한다.

10 나는 경기가 불공정했다는 그의 의견에 동의한다.

11 우리는 우리가 규칙을 따라야 한다는 것을 알았다.

12 여성의 언어가 다르다는 생각은 사실이다.

13 문제는 저녁 식사가 언제 준비되느냐이다.

14 너는 사진 속의 여자가 누구인지 추측할 수 있겠니?

15 당신이 얼마나 많은 날들을 이곳에서 머무르길 원하시는지 제게 알려주세요.

16 당신이 생계를 위해서 무엇을 하는가는 중요하지 않다.

17 이 병들이 왜 발생하는가는 분명하지 않다.

18 나는 어떻게 그들이 그렇게 오랫동안 생존하는지가 궁금하다.

19 내가 어디에서 자전거를 빌릴 수 있는지를 너는 알고 있니?

20 우리들 중에 어떤 사람이 여행을 위해 텐트를 가져올지를 정하자.

해석 Practice ②
본문 154쪽

01 네가 지난주에 했던 것은 잘못되었다.

02 네가 말하고 있는 것은 내가 아는 것이다.

03 나는 그가 Mike에게 말했던 것을 믿을 수가 없다.

04 그가 후식으로 좋아하는 것은 차이다.

05 그것은 내가 설명하려고 했던 것이 아니었다.

06 당신은 당신이 주문한 것을 받으셨나요?

07 그는 내게 자신의 배낭 안에 있던 것을 보여주었다.

08 열쇠는 내가 찾고 있는 것이다.

09 그 액션 영화는 내가 정말로 보기를 원했던 것이었다.

10 내가 되길 바라는 것은 여행 작가이다.

11 테니스를 치는 것은 그가 여가 시간에 하는 것이다.

12 네가 저녁 식사로 먹기를 원하는 것을 내게 말해줘.

13 그 결과는 우리가 예상했던 것이 아니었다.

14 언어는 우리를 인간답게 만드는 것이다.

15 나를 행복하게 만드는 것은 내 친구들과 함께 시간을 보내는 것이다.

16 내가 Sally에 대해 좋아했던 것은 그녀가 재미있다는 것이었다.

17 내가 지금 가장 원하는 것은 잠을 조금 자는 것이다.

18 나는 점장이 추천해준 것을 먹었다.

19 우리는 선생님께서 우리에게 하라고 요청하신 것을 했다.

20 당신은 목록에서 당신이 원하는 것을 고를 수 있습니다.

CHAPTER
08
관계사절

Workbook

단어 Review
본문 156쪽

A　01 미용사　02 착륙하다　03 상징

　　04 깨어 있다, 안 자다　05 ~와 우연히 마주치다

　　06 ~에 기대다, 의존하다　07 추천하다　08 사과하다

　　09 곡식　10 언어　11 환영받는　12 사진사

　　13 냉장고　14 주제　15 대학교　16 고통

　　17 (모양·크기가) 맞다　18 온화한　19 만족스러운

　　20 지하에

B　01 carry　02 nature　03 face　04 season

　　05 propose　06 drawer　07 sock　08 belong to

　　09 trust　10 painting　11 join　12 unique

　　13 break out　14 ripe　15 different　16 keep

　　17 fault　18 view　19 annoy　20 plant

개념 Review
본문 157쪽

A　01 ○　02 ×　03 ○　04 ×　05 ○

B　01 hate　02 which　03 that　04 on which

정답 및 해설　**27**

20 anything [that doesn't belong to you] / 당신에게 속하지 않는 어떤 것도 가져가지 마시오.

해석 Practice ①　　　　　　　　본문 158쪽

01 a few people [who live in London] / 우리는 런던에 사는 몇몇 사람들을 알고 있다.

02 The man [who invented the toilet] / 변기를 발명한 사람은 Thomas Crapper였다.

03 The merchant [who works in this village] / 이 마을에서 일하는 그 상인은 매우 나이가 들었다.

04 The student [who won the writing contest] / 백일장에서 우승했던 학생은 내 여동생이다.

05 an English author [who wrote *Romeo and Juliet*] / 셰익스피어는 '로미오와 줄리엣'을 쓴 영국 작가였다.

06 the woman [who used to work in my office] / 너는 내 사무실에서 일했던 여자를 기억하니?

07 two questions [which are very important] / 매우 중요한 두 가지 질문이 있다.

08 an animal [which only eats meat] / 호랑이는 고기만 먹는 동물이다.

09 The white dog [which has short legs] / 짧은 다리를 갖고 있는 그 하얀 개는 매우 귀엽다.

10 The watch [which is on the table] / 탁자 위에 있는 시계는 내 것이다.

11 a robot [which can talk with me] / 나는 나와 이야기할 수 있는 로봇을 갖기를 원한다.

12 The building [which stands outside] / 바깥에 서 있는 건물은 2백 년 전에 지어졌다.

13 a book [which gives us the meaning of words] / 사전은 우리에게 단어의 의미를 제공하는 책이다.

14 The boy [that is crying over there] / 저기서 울고 있는 소년은 내 남동생이다.

15 every car [that passed by] / 경찰들은 지나가는 모든 차를 세우고 있었다.

16 the girl and her cat [that are coming this way] / 이쪽으로 오고 있는 소녀와 그녀의 고양이를 봐.

17 the first ice cream shop [that opened in New York City] / 이곳은 뉴욕 시에서 문을 연 최초의 아이스크림 가게이다.

18 the worst thing [that can happen in my life] / 그것은 내 인생에서 일어날 수 있는 최악의 일이다.

19 the very man [that will do the job quickly] / Charles야

20 말로 그 일을 빠르게 할 사람이다.

해석 Practice ②　　　　　　　　본문 160쪽

01 The girl [who you saw in my house] / 네가 나의 집에서 본 소녀는 내 사촌이었다.

02 The lady [who I spoke with] / 내가 이야기를 나누었던 숙녀는 매우 어려 보였다.

03 the person [who you're talking about] / 나는 네가 말하고 있는 사람을 알지 못한다.

04 the idol star [whom I like so much] / 나는 내가 매우 많이 좋아하는 아이돌 스타를 만났다.

05 a friend [with whom I share joys and sorrows] / 그는 내가 기쁨과 슬픔을 함께 나누는 친구이다.

06 fish [which we caught at the lake] / 우리는 호수에서 잡은 물고기를 먹을 수 있다.

07 the T-shirt [which I put on my bed] / 내가 침대 위에 놓아두었던 티셔츠가 어디에 있니?

08 The Japanese restaurant [which we visited last month] / 우리가 저번 달에 방문했던 일식당이 지금은 문을 닫았다.

09 a common topic [about which most writers write] / 사랑은 대부분의 작가들이 글을 쓰는 흔한 주제이다.

10 the knife [with which my mom cuts food] / 이것은 나의 엄마가 (그것을 가지고) 음식을 자르는 칼이다.

11 his bicycle [that he lost yesterday] / Sam은 어제 잃어버렸던 자전거를 발견했다.

12 all the books [that I borrowed from the library] / 나는 도서관에서 빌린 책을 모두 읽었다.

13 the best film [that I have ever seen] / 그것은 내가 지금까지 본 (것 중에서) 최고의 영화이다.

14 the only one [that the old man spoke to] / 그는 그 노인이 이야기를 나누는 유일한 사람이었다.

15 the contest [that I wanted to take part in] / Linda는 내가 참가하기를 원했던 대회에 지원했다.

16 a dog [whose hair is brown] / 나는 털이 갈색인 개를 가지고 있다.

17 a book [whose title was interesting] / 그녀는 제목이 흥미로운 책 한 권을 샀다.

18 a restaurant [whose owner was a famous singer] / 우리는 (그곳의) 사장이 유명한 가수인 식당에서 만났다.

19 The man [whose car was stolen] / 차를 도난당한 남자

는 경찰서에 갔다.

20 a tennis club [whose members were all my friends] /
나는 회원이 모두 내 친구들인 테니스 동아리에 가입했다.

해석 Practice ③
본문 162쪽

01 그녀는 해가 떠오르는 시간을 매우 좋아한다.
02 토요일은 그녀가 바이올린 수업을 듣는 날이다.
03 1월은 많은 사람들이 새로운 목표를 세우는 달이다.
04 2012년은 내가 고등학교를 졸업한 해였다.
05 어제는 모든 일이 잘 안 되던 날이었다!
06 1876년은 A. G. Bell이 전화기를 발명한 해였다.
07 봄은 나뭇잎들이 자라기 시작하는 계절이다.
08 나는 노래 대회에서 우승한 날을 결코 잊지 못할 것이다.
09 겨울은 우리들이 많은 시간을 실내에서 보내는 계절이다.
10 밸런타인데이는 여자아이들이 남자아이들에게 초콜릿을 주는 날이다.
11 병원은 아무도 있기 원하지 않는 장소이다.
12 그가 이사한 집은 여기에서 멀지 않다.
13 부산은 나의 이모가 사는 도시이다.
14 그리스는 최초의 올림픽 대회가 열린 나라이다.
15 이곳은 Lily와 James가 결혼한 교회이다.
16 나는 그에게 아이들이 즐거운 시간을 보낼 수 있는 박물관에 대해 말해주었다.
17 우리가 가고 있는 마을의 이름이 무엇이니?
18 이곳은 관광객들이 여행 정보를 얻을 수 있는 장소이다.
19 경찰은 교통사고가 발생한 장소에 도착했다.
20 너는 우리가 방과 후에 놀곤 했던 공원을 기억하니?

CHAPTER 09 접속사와 분사구문 Workbook

단어 Review
본문 164쪽

A 01 능숙한 02 용기 03 집안일 04 ~에 들르다
   05 후회하다 06 목표 07 성가시게 굴다
   08 간신히 ~해내다 09 휘파람을 불다 10 거리
   11 인상적인 12 전통적인 13 향수병의
   14 삭제하다 15 에어컨 16 만족한 17 도전
   18 신용카드 19 영수증 20 칼슘
B 01 cozy 02 knowledge 03 map 04 apart

05 order 06 entire 07 tool 08 absent
09 overseas 10 provide 11 stand
12 be fond of 13 license 14 weak 15 single
16 reach 17 bill 18 yawn 19 blond 20 wave

개념 Review
본문 165쪽

A 01 ○ 02 × 03 × 04 ○ 05 ○
B 01 like 02 are 03 Since 04 is 05 talking
C 01 Waiting 02 Not knowing 03 has
   04 am 05 If

해석 Practice ①
본문 166쪽

01 돼지는 고기와 채소 둘 다 먹는다.
02 Mike와 Bob은 둘 다 매년 겨울에 스노보드를 타러 간다.
03 나는 달리기와 수영 둘 다 잘한다.
04 학교가 내일 개학해서 나는 긴장되면서 들떠 있다!
05 여러분은 여기서 역사와 자연 둘 다 경험할 수 있습니다.
06 그녀는 한국과 미국에서 공부해왔다.
07 산모와 아기는 둘 다 건강했다.
08 개구리는 물속과 물 밖에서 살 수 있다.
09 레오나르도 다빈치는 예술가였을 뿐만 아니라 과학자였다.
10 여러분뿐만 아니라 전 세계 사람들도 아이스크림을 매우 좋아한다.
11 그녀는 피아노뿐만 아니라 플루트도 연주한다.
12 그 코미디언은 재능이 있을 뿐만 아니라 성실하다.
13 그녀는 아침뿐만 아니라 저녁으로도 시리얼을 먹는다.
14 그 일은 마음뿐만 아니라 기술도 필요로 한다.
15 너뿐만 아니라 그도 유럽으로의 여행을 계획하고 있다.
16 그녀는 농장에 세 마리의 소뿐만 아니라 다섯 마리의 말도 갖고 있다.
17 흡연자들은 그들 자신뿐만 아니라 다른 사람들에게도 피해를 일으킨다.
18 내 아들은 새에 관해 읽을 뿐만 아니라 그것들을 관찰한다.
19 그는 좋은 학생일 뿐만 아니라 훌륭한 운동선수이다.
20 그뿐만 아니라 나도 그 문제에 책임이 있다.

해석 Practice ②
본문 168쪽

01 before you are hurt / 아프기도 전에 울지 마라.
02 while they stay in Korea / 대부분의 관광객들은 한국에 머무는 동안 서울에서 시간을 보낸다.

03 When we have to eat alone / 우리는 혼자 먹어야 할 때 몹시 외로움을 느낀다.

04 until the final game is over / 결승전이 끝날 때까지 나는 기다릴 것이다.

05 when I play soccer in summer / 나는 여름에 축구를 할 때 땀을 많이 흘린다.

06 as soon as I arrive in Paris / 나는 파리에 도착하자마자 너를 보기를 소망한다.

07 after I graduated / 나는 졸업한 후에 내 소유의 회사를 시작했다.

08 As soon as you read this email / 이 이메일을 읽자마자 답을 주세요.

09 while you are using a knife / 네가 칼을 사용하는 동안에는 조심해라.

10 after he came to New York / Bill은 뉴욕에 온 후로 이곳에서 일했다.

11 while I watch a movie in the theater / 나는 극장에서 영화를 보는 동안 팝콘을 먹는 것을 좋아한다.

12 until you enter university / 네가 대학에 들어갈 때까지는 부모님과 함께 지내야 한다.

13 If you see him / 만약 당신이 그를 본다면, 그에게 이 가방을 주세요.

14 if you are busy / 만약 네가 바쁘다면, 내가 나중에 다시 올게.

15 Unless it rains tomorrow / 만약 내일 비가 오지 않는다면, 우리는 현장학습을 갈 것이다.

16 If you don't ask questions / 만약 네가 질문을 하지 않으면, 어느 것도 배울 수 없다.

17 if you don't speak more loudly / 만약 네가 더 크게 말하지 않는다면, 나는 네 말을 알아들을 수 없다.

18 If you tell me the truth / 만약 네가 내게 진실을 말해준다면, 나는 누구에게도 그것에 관해 말하지 않을게.

19 unless I change first / 만약 내가 먼저 바뀌지 않는다면, 변화는 시작되지 않는다.

20 Unless we work together / 만약 우리가 함께 일하지 않는다면, 우리는 이 문제들을 해결할 수 없다.

해석 Practice ③

01 힘든 일 때문에 나는 피곤함을 느꼈다.

02 조깅은 나를 기분 좋게 만들기 때문에 나는 그것을 좋아한다.

03 그에게는 이웃이 없어서 그는 혼자서 하루 종일 시간을 보낸다.

04 날씨가 나빴기 때문에 그들은 돌아가야만 했다.

05 황사 때문에 내 목이 아프다.

06 나는 두통이 있어서 약을 좀 복용했다.

07 나는 돈을 갖고 있지 않아서 어젯밤에 집에 걸어갔다.

08 James는 잘 먹지 않아서 더 약해지고 있다.

09 Samuel이 내게 거짓말을 해서 나는 매우 화가 났다.

10 많은 교통량 때문에 아무도 길을 건널 수가 없다.

11 나는 날씨를 통제할 수가 없기 때문에 그것을 즐기려고 노력하고 있다.

12 누군가가 내 지갑을 훔쳐가서 나는 경찰에 전화했다.

13 비록 그들은 열심히 일했지만 실패했다.

14 비록 여러분이 바쁘더라도 아침은 먹어야 합니다.

15 비록 그는 최선을 다했지만 시험에 통과하지 못했다.

16 비록 나는 그의 이름은 잊어버렸지만 그의 얼굴은 기억했다.

17 비록 나는 공짜 표를 가지고 있지만 콘서트를 보지는 않을 것이다.

18 비록 그 음식은 아주 좋은 냄새가 나지만 쓴맛이 난다.

19 비록 내가 당신을 매우 많이 사랑할지라도 당신과 영원히 함께 하진 못할 거예요.

20 비록 내 남동생이 수학을 잘하기는 해도 그 문제는 풀 수 없다.

해석 Practice ④

01 나는 TV를 보면서 천천히 잠이 들었다.

02 혼자 살아서 그는 종종 외로움을 느꼈다.

03 좋은 시간을 보낸 후 나는 집에 돌아왔다.

04 집을 떠날 때 그는 자신의 지팡이를 가지고 갔다.

05 배가 고파서 그녀는 피자 한 판을 전부 먹었다.

06 침대에서 뛰어나와 그는 문으로 달려갔다.

07 책을 내려놓고 Jack은 불을 껐다.

08 규칙적으로 이를 닦지 않아서 나의 아들은 치통이 있었다.

09 어둠 속에서 조깅을 할 때 당신은 밝은 색의 옷을 입어야 한다.

10 그는 한 손으로 차를 운전하면서 휴대전화를 사용하고 있었다.

11 휴식을 취하는 동안 간단한 목 운동을 하세요.

12 추석에 우리는 보름달을 보면서 소원을 빈다.

13 한 유명한 영화배우가 손을 흔들면서 밴(승합차)에 탔다.

14 그 예술 작품을 보면서 그녀는 그곳에 서 있었다.

15 나는 숲에서 나오다가 길을 잃었다.

16 충분한 시간을 갖고 있지 않아서 우리는 그 교회를 방문할 수 없다.

17 너는 음식을 먹는 동안 다른 사람들에게 말을 해서는 안 된다.

18 책상 앞에 앉아 있는 동안 당신의 등을 똑바로 유지하세요.

19 그 언어의 단 하나의 단어도 몰라서 나는 그냥 말없이 있었다.

20 매우 아파서 그는 대회에 참가할 수 없었다.

CHAPTER
10

비교구문 Workbook

단어 Review 본문 174쪽

A 01 짐 02 붐비는, 복잡한 03 평소의 04 예상하다
05 밝은 06 십억 07 (소리가) 큰 08 골을 넣다
09 소설 10 영화 11 판매량 12 건강에 좋은
13 현명한, 지혜로운 14 오르다, 올라가다 15 전기
16 깨닫다 17 (돈을) 벌다 18 숨을 쉬다 19 귀중한
20 독이 있는

B 01 subject 02 friendship 03 trust 04 planet
05 solar system 06 powerful 07 passion
08 direction 09 situation 10 imagine
11 lose weight 12 muscle 13 virtue
14 self-confidence 15 disappointed 16 hopeless
17 intelligent 18 peaceful 19 country 20 grade

개념 Review 본문 175쪽

A 01 ○ 02 × 03 ○ 04 ○ 05 ×
B 01 high 02 more 03 much 04 animals
05 more important
C 01 mine 02 lighter 03 the more worried
04 other bird 05 as

해석 Practice ① 본문 176쪽

01 오스트레일리아는 한국보다 약 35배만큼 크다.
02 적군은 우리보다 두 배만큼 강했다.
03 그는 그의 남동생[형]보다 세 배만큼 많은 돈을 번다.
04 이 전화기는 다른 것보다 두 배만큼 많은 기능을 갖고 있습니다.
05 내 표는 네 표 가격의 반이다.
06 나의 새 컴퓨터는 오래된 것보다 열 배만큼 빠르다.
07 금은 몇 년 전보다 두 배만큼 비싸다.
08 내 점수는 네 점수보다 세 배 더 높다.
09 Tony는 그의 사촌보다 네 배 더 나이가 많다.
10 건강에 좋은 음식은 건강에 좋지 않은 음식보다 세 배 더 가격이 든다.
11 새 스피커는 이전 것보다 다섯 배 더 소리가 크다.
12 나는 내가 지금보다 열 배 더 부자이면 좋겠다.
13 내 셔츠가 방금 도착했는데 그것은 내가 기대한 것보다 100

배는 더 좋다.
14 내 언니의 머리카락은 내 머리카락보다 훨씬 더 길다.
15 그는 보기보다 훨씬 더 어리다.
16 나는 예전보다 조금 더 일찍 일어나야 한다.
17 수영은 걷는 것보다 훨씬 더 많은 칼로리를 소모시킨다.
18 비행기로 이동하는 것이 배로 이동하는 것보다 훨씬 더 빠르다.
19 건강이 돈보다 훨씬 더 중요하다.
20 이 전시회는 우리가 어제 본 것보다 훨씬 더 크다.

해석 Practice ② 본문 178쪽

01 네가 더 세게 떨어질수록, 너는 더 높이 튀어 오른다.
02 네가 시도를 덜 할수록, 너는 더 적게 배운다.
03 "내가 언제 출발해야 할까?" – "더 빠를수록 더 좋아."
04 네가 더 많은 책을 읽을수록, 너는 더 많은 것을 알게 될 것이다.
05 네가 더 자세히 볼수록, 너는 더 많은 것을 본다.
06 네가 더 많은 돈을 가질수록, 너는 더 많은 돈을 쓴다.
07 네가 더 어릴수록, 배우는 것이 더 쉽다.
08 철은 다른 어떤 금속보다 더 유용하다.
09 장미는 다른 어떤 꽃보다 더 아름답다.
10 나는 축구가 한국에서 다른 어떤 운동보다 더 인기 있다고 생각한다.
11 그는 학급에서 다른 어떤 학생보다 더 똑똑하다.
12 마지막 질문은 다른 어떤 질문보다 더 어려웠다.
13 James는 그 연극에서 다른 어떤 배우보다 연기를 더 잘했다.
14 라틴어는 세계의 다른 어떤 언어보다 더 어렵다.
15 마을에서 다른 어떤 사람도 Steve만큼 부유하지 않다.
16 인생에서 어떤 것도 가족보다 더 중요하지 않다.
17 나는 다른 어떤 발명가도 Edison만큼 위대하지 않다고 생각한다.
18 어떤 것도 이것보다 더 좋을 수는 없을 것이다.
19 다른 어떤 섬도 Greenland보다 더 크지 않다.
20 세계의 다른 어떤 언어도 한글만큼 과학적이지 않다.